KB195929

안방환의 조직역량에 사이다를 더하라

함께 사는 방식
글과 그림

안방환의

조직역량에 사이다를 더하라

초판 1쇄 **인쇄** 2018년 1월 18일
초판 1쇄 **발행** 2018년 1월 25일

지은이 안방환
펴낸이 이재욱
펴낸곳 (주)새로운사람들
디자인 김명선
마케팅 관리 김종림

등록일 1994년 10월 27일
등록번호 제2-1825호
주소 서울 도봉구 덕릉로 54가길 25(우 01473)
전화 02)2237-3301
팩스 02)2237-3389
이메일 ssbooks@chol.com
홈페이지 http://www.ssbooks.biz

ISBN 978-89-8120- 572-0(14190)
978-89-8120-570-6(세트)

*책값은 뒤표지에 표시되어 있습니다.

함께 사는 방식
글과 그림

안방환의

조직역량에 사이다를 더하라

<프롤로그>

개인과 조직의 역량개발 저서

올해로 내 꿈을 향해 회사를 관두고 나온 지 20년째다.

회사에서 수많은 컨설턴트와 강사를 접촉할 기회가 있었고 한결같이 내 눈앞에 보이는 그들은 해당 분야 전문가였고 지식인이었다. 물론 내 꿈이라고 하지만 가족이 있는 가장으로서 잘 다니던 회사를 관두고 새로운 직업을 택한다는 것이 쉬운 결정은 아니었다.

7년 동안은 프리랜서를 경험하며 내 꿈과 적응하는 시기였다. 아쉬운 것은 내가 하고 싶은 일을 하는 것이 아니라 시키는 일을 하는 것이 조직자 성격유형인 나와는 잘 맞지 않았다.

고심 끝에 한국성과경영컨설팅(Korea Performance Management Consulting)이란 법인을 설립하였고, 회사 슬로건으로 "Simply, Easily & Completely"로 한 것이 현재까지 회사의 모토(motto)로 자리 잡고 있다.

법인을 설립하고 시간이 지남에 따라 고객들의 요구도 다양해졌다. 기업의 전략 수립에서부터 마케팅, 업무 프로세스 재설계, ISO 인증, 공장혁신, 안전문화 등 다양한 부분을 수행하기에는 한국성과경영컨설팅이란 이름이 어울리지 않았다. 그래서 바꾼 것이 현재의 KPMC다.

한 번은 여의도에 있는 금융회사에서 고객만족에 대한 컨설팅을 진행하고 있었는데 벽에 걸린 동기 부여 포스터를 보게 되었다. 순간 내가 가지고 있던 변화에 대한 갈망을 해소할 수 있다는 판단에 가슴이 뜨거워짐을 느꼈고, 지금 뭔가 하지 않으면 후회할 것 같은 생각을 하게 되었다. 그동안 강사라는 직업으로 늘 만족하지 못했던 한 부분을 채워 줄 수 있겠다는 '촉'이 발동한 것이다. 그날 저녁부터 새로운 사업을 준비하였고 현재 운영하는 이포스터가 탄생하게 된 계기다.

이포스터는 인적 자원관리, 친환경, 품질관리, 현장개선, 안전문화, 창의개선, 직장예절 등 특정 주제를 바탕으로 포스터, 플래시, 팝업 등의 형태로 제작되어 한 주 동안 조직과 개인 역량 개발을 위한 주간경영 포스터(W-Poster)로 구분하여 공기업과 대기업 그리고 중소기업에 이르기까지 구성원들의 교육과 동기 부여에 활용되었다.

교육에 대하여 철학자 허버트 스펜서는 "교육의 위대한 목표는 앎이 아니라 행동이다."라고 했으며, 소설가 마크 트웨인은 "교육이란 알지 못하는 바를 알도록 가르치는 것이 아니라, 사람들이 행동하지 않을 때 행동하도록 가르치는 것이다."라고 했다.

이포스터는 단순한 지식 전달이 아니라 공감과 행동 변화를 위한 도구이다. 그동안 경직되고 주입식에 익숙한 교육방식을 벗어나 친근감 있는 삽화와 함께 대중에게 공감을 얻고 행동으로 이어질 수 있도록 하는 것이 이포스터가 추구하는 목적이다.

나는 조직학습과 조직변화 이론의 전문가 데이비드 허친스의 책을 좋아한다. 깊이 있는 조직이론을 바탕으로 조직을 설계하고 그들에게 목표와 동기를 불러일으키는 전문 서적이기 때문이라고 생각하겠지만 내가 좋아하는 이유는 딱 두 가지다.

첫째는 책 전체 내용에서 글씨가 많이 없다는 것, 그리고 둘째는 그림이 많아 빨리 내용을 이해할 수 있다는 것이다.

책의 목적이 무엇인가 생각해 본다. 글씨를 읽는 것이 목적이 아닌 것은 분명하다. 책을 통하여 작가의 지식과 경험을 이해하고 개인의 행동으로 이어질 수 있도록 하는 것이 책의 본질이 아닌가 생각한다.

이 책은 지난 2013년부터 6년 동안 매주 월요일 아침에 발행한 주간 경영 포스터가 바탕이 되어 출판으로 이어졌다. 애초 출판 목적은 아니었지만, 주변의 권유로 두 권의 책을 동시에 발간하게 되었다.

1권은 개인 역량에 대한 내용이다. 새로운 시대 상황을 정확히 이해하고 열정과 도전을 바탕으로 어떻게 행동할 것인가에 대한 자기계발의 메시지를 제공해 줄 것이다.

2권은 조직 역량에 대한 내용이다. 개인이 모여 조직이 구성되는데, 가장 중요한 것은 기본이라 생각했다. 기본이 준수되는 조직, 끊임없는 혁신과 비전을 통하여 성과를 올려야 하는 조직의 목표는 효과적인 팀워크와 의사소통, 그리고 조직 내의 인간관계에서 나온다고 할 수 있다. 또한 이러한 과정에서 발생할 수 있는 리스크를 예방하고 통제할 수 있는 정신 무장의 중요성을 전해줄 것이다.

이포스터는 매주 월요일 새로운 감동과 열정을 선물하기 위하여 계획되고 있으며, 또 다른 시간에 새로운 콘텐츠로 다시 여러분 앞에 선보이도록 하겠다.

2019.01

안방환

<차례>

프롤로그…4

제1장 흔들릴 때마다 기본으로 돌아가자

뭐 잊으신 거 없나요?…16

최고의 경쟁자는 자기 자신이다…18

올바른 절차와 원칙을 거쳐야 참다운 성공이다…20

Back to the basic!…22

기초가 단단한 그랭이 공법…24

기본(基本)을 지켜야 미래가 보인다…26

딱 내 숨만큼만 채취하는 제주 해녀들의 '숨비소리' 지혜…28

가장 먼저, 꼭 있어야 하는 기본 …30

따뜻한 보금자리인 가정은 행복의 시작…32

시간 준수는 올바른 회의 문화의 출발점 …34

회의문화를 SMART하게 만들려면…36

회의문화 1:1:1 캠페인…38

통(通)경영, 상사와의 관계…40

원활한 프로세스를 위한 통(通)경영 …42
눈 내린 들판을 슬기롭게 걷는 법…44
집중력을 향상시키는 정리정돈…46
상대방이 앞에 있다고 생각하며 전화를 받으면…48
회의(會議)를 하다 회의(懷疑)를 느낀다?…50
지구를 건강하게 하는 에너지 절약…52
구성원과 마음이 통하는 통(通)경영…54
평생의 투자는 인재육성…56

제2장
혁신의 비전으로 성과를 관리하자

SMART한 목표 설정…60
펭귄에게 배우는 상생의 팀워크…62
공감대를 이끌어내야 조직의 전략이 성공할 수 있다…64
우선순위를 정할 수 있어야 유능한 관리자…66
조직 혁신은 함께 실천해야 할 목표…68
도전적 목표가 획기적 성장을 촉진한다…70
목표보다는 동기부여가 우선이다…72
미래는 오늘의 모습을 기억한다…74
함께 참여할 때 조직의 비전은 현실이 된다…76
혁신으로 재무장하는 솔개의 지혜…78

오늘보다는 내일을 준비하는 자세로…80
가장 효과적인 전략은 단순화 …82
위대한 사람은 목표가 있고 평범한 사람은 소망이 있다…84
전략보다는 실행이 우선!…86
준비된 사람이 기회를 잡는다…88
인생 마라톤을 멋지게 완주하는 비결…90
딥 워크, 열정과 몰입이 비결이다…92

제3장
함께 꿈꾸는 조직으로 거듭나자

눈앞의 이익보다 미래를 위하여 …96
새로운 도전, 함께 출발합시다…98
꿈과 생각의 크기만큼 자란다…100
꿈꾸는 자가 목표를 이룬다…102
비전, 집중, 그리고 변화…104
30초 안에 자신을 소개하는 법…106
새해에 해야 할 일, 우리의 선택을 최고로 만드는 것…108
꿈은 세밀한 설계도를 바탕으로 짓는 집이다…110
꿈을 실현하기 위한 일처리 3단계…112
즐기는 사람이 노력하는 사람을 이긴다 …114

제4장
팀워크와 공감으로 협력하고 소통하자

공감대가 조직의 목적을 수행하는 원동력···118

미(미소), 인(인사), 대(대화), 칭(칭찬)···120

부하의 이야기를 듣는 경청 스킬···122

빨리 가려면 혼자 가고, 멀리 가려면 함께 가라···124

칭찬은 어떻게 고래를 춤추게 할까?···126

입에서 나온 말이 환경과 운명을 만든다···128

긍정의 마인드, 세상만사 마음먹기에 달렸다 ···130

팀워크, 푸른 숲이 되려거든 함께 서라···132

'Understand'의 올바른 의미···134

네 흉이 바로 내 흉이다···136

아름다운 입술을 가지고 싶으면 친절한 말을 하라···138

그 사람이 그렇게 말하는 데는 그만한 이유가 있다···140

작사도방(作舍道傍), 소통과 신념의 상관관계···142

조직은 개인들이 협력하는 공동체···144

웃는 얼굴은 가장 매력적인 이력서···146

경청(傾聽)이 가장 확실한 대화의 비결···148

말하기와 듣기, 지식과 지혜의 차이···150

적을 없애려면 친구로 만들면 된다···152

조직 내의 올바른 의사소통···154

세상에서 가장 현명한 사람···156

칭찬은 조직을 살리고 비난은 에너지를 죽인다…158
대화는 서로 이야기하는 것이고, 소통은 상대방을 이해하는 것이다. …160
협업(collaboration), 함께 하면 성공한다…162
소통의 제1법칙…164
사람의 품격은 입에서 나온다…166
사람의 향기는 만 리를 간다…168
긍정적인 생각으로 세상과 소통하라…170
의사소통에서의 착각…172
"늘 고마워!" "감사합니다!"…174
잘 듣는 것이 가장 확실한 대화 스킬…176
원청회사와 협력회사의 행복한 공존…178
고객을 행복하게 맞이하는 미소 훈련법…180
사람의 첫 인상인 인사의 힘…182
칭찬은 천둥처럼 듣고, 비난은 속삭임처럼 들어라 …184
8초면 인생이 바뀔 수도 있다 …186
주먹을 쥐고 있으면 악수를 할 수가 없다 …188
섬들은 혼자 같지만 바다 속에서 서로 몸을 기대고 있다 …190
인사를 잘하면 인상이 좋아지고, 인상이 좋아지면 인생이 풀린다…192
네트워크 시대, 낯선 사람 효과…194

제5장
불확실성 시대에 대처하자

순탄할 때는 주의하고, 어려울 때는 인내한다 …198
불확실성 시대의 변화 관리…200
위기를 효과적으로 관리하면 기회가 된다…202
리스크(Risk)와 불확실성에 대처하는 법…204
간절한 절박함이 목표를 이룬다.…206
Good to Great, 좋거나 위대하거나…208
똑같은 돌이라도 약자에게는 걸림돌이 되고, 강자에게는 디딤돌이 된다…210
준비된 조직에게만 기회가 찾아온다 …212
비즈니스의 리스크(Risk), 어떻게 관리할까…214
안전을 실천하는 인식, 인프라, 제도…216
어떤 상황이 진짜 위기인가?…218
위기 속에서 생존하고 번영할 수 있는 방법…220
위험은 걱정 말아요!…222
책임 있는 가장이 퇴근하는 모습…224
위험(Danger), 아는 만큼 보인다…226
함께 살아가야 할 4차 산업혁명…228
4차 산업혁명이 가져오는 변화…230
4차 산업혁명 어떻게 대처할 것인가…232
그레잇! 스튜핏!…234
조약돌이 주는 교훈…236

변화를 감지하고 미래를 준비하는 사람이 성공한다…238
불확실성을 확실하게 극복하는 방법…240
급류에는 얼굴을 비출 수 없다…242
위험은 새로운 기회다…244
세상의 변화를 느끼는 주인공은 자기 자신이다…246

제6장
고객 지향의 윤리와 철학을 갖추자

만약 고객이 옳지 않다면!…250
불만의 확산 시대…252
고객은 항상 현명하다…254
1:10:100 원가의 법칙…256
사소한 부주의로부터의 정보 보호…258
나눔, 받는 기쁨은 짧고 주는 기쁨은 길다 …260
회사생활이 즐거운 이유…262
차이는 있어도 차별은 없는 조직문화 …264
자동차 안전문화 캠페인…266

에필로그…268

흔들릴 때마다 기본으로 돌아가자

뭐 잊으신 거 없나요?

불필요한 전기 낭비 방지, 에너지 절약의 시작입니다. 밤새 켜둔 컴퓨터는 1년에 2,600킬로와트의 에너지를 낭비하고 1.9톤의 이산화탄소를 배출합니다. 퇴근할 때 습관적으로 켜두는 컴퓨터가 없는지 확인하고 꼭 필요한 곳에서 에너지를 사용할 수 있도록 불필요한 전기는 아끼는 습관이 필요합니다.

*주변에 불필요한 전기가 켜져 있지 않은가?

*퇴근할 때 컴퓨터는 반드시 끄고 퇴근하는가?

뭐 잊으신 거 없나요?

일과를 마치고 퇴근하시는 당신!
혹시 끄지 않은 컴퓨터는
없는가요?

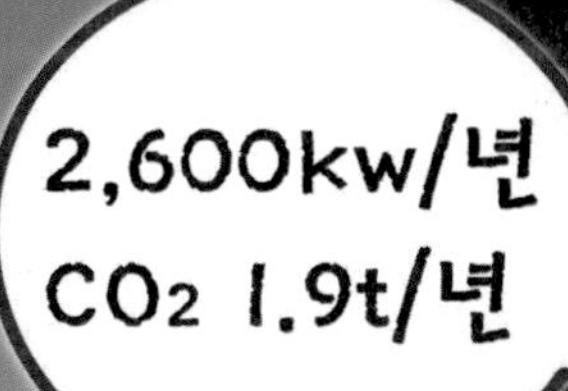

밤새 켜둔 컴퓨터는
일년에 2,600킬로와트의 에너지를 낭비하고
1.9톤의 이산화탄소를 배출합니다.

최고의 경쟁자는 자기 자신이다

여러분의 경쟁자는 누구입니까? 경쟁의 시대에 우리는 늘 새로운 도전의 대상자를 찾고 있습니다. 그는 나보다 훨씬 경쟁우위에 있고 반드시 넘어야 할 대상이 될지도 모르겠습니다.

그러나 최고의 경쟁자는 바로 자기 자신이라는 사실을 잊어서는 안 됩니다. 경쟁의 대상자를 밖에서 찾기보다는 자신을 경쟁에서 이길 수 있어야만 비로소 수많은 외부 경쟁자를 이길 수 있습니다.

경쟁을 위한 경쟁이 아니라 나 자신을 알고 어제 나태했던 내 모습을 변화시켜 나가는 노력부터 해야 할 것입니다. 왜냐하면 우리 몸은 쉽고 편하고 나태한 부분에서는 적응력이 매우 빠르기 때문입니다.

*나의 경쟁상대는 누구인가?

*나를 이길 수 있는 역량은 어떤 것인가?

Simply, Easily & Completely!
2014년 4월 7일(월)~4월 13일(일)

나의 최고의 경쟁자는 어제 내 모습이다

올바른 절차와 원칙을 거쳐야 참다운 성공이다

모든 일에는 지켜야 할 절차와 원칙이 있습니다. 원칙을 준수하지 않고 어쩌다 성공한 사람을 볼 수도 있습니다. 그러나 그 사람은 성공했다기보다 운 좋게 이루어졌다고 표현하는 것이 맞습니다. 성공(成功)이란 목적한 바를 이룬다는 뜻이며 이루는 방법 또한 올바른 방법으로 경쟁하고 그 일에 최선을 다했을 때 참다운 성공이라 할 수 있을 것입니다. 거꾸로 사다리를 올라갈 수는 없기 때문입니다.

*나는 지금 하는 일을 원칙에 따라 소신을 가지고 진행하고 있는가?

*원칙을 준수하지 않는 사람을 봤을 때 어떤 느낌이 드는가?

성공은 사다리와 같습니다

SUCCESS

거꾸로 사다리를
올라갈 수 없습니다.

Back to the basic!

기본(基本)이란 '사물이나 현상, 이론, 시설 따위의 기초와 근본'이라고 정의합니다. 우리는 기본이 중요하다고 말하지만 늘 새로운 것에만 가치를 두고 있습니다. 새로운 것도 역시 기본이 있어야 가능한 것입니다. 기본이 없으면 새로움도 없고 기본이 무너지면 사회를 지탱할 수 없습니다. 일이 잘 풀리지 않을 때, 기본으로 돌아가 기본을 바탕으로 다시 시작하세요.

*여러분에게 기본이란 무엇인가?

*우리 사회에 기본이란 어떤 것이 있을까?

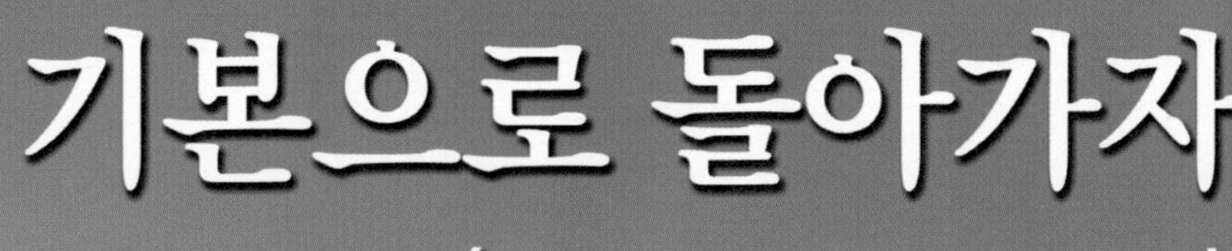
기본으로 돌아가자
(Back to the basic)

기초가 단단한 그랭이 공법

지난해 한반도에는 어느 때보다 지진이 많았던 해로 기억되고 있습니다. 유난히 경주를 중심으로 지진이 많았는데 그럼에도 불구하고 경주의 오래된 건축물인 불국사, 석굴암, 첨성대 등은 큰 피해를 보지 않았고, 그 이유가 '그랭이 공법' 덕분이라고 합니다.

그랭이 공법은 목수가 기둥을 세울 때 주춧돌의 곡면을 기준으로 기둥을 깎아내어 기둥을 세우는 방법입니다. 이 경우 단면적이 넓어지고 서로 잡아주는 힘이 커지기 때문에 지진과 같은 심한 흔들림에도 건축물의 피해를 최소화할 수 있다는 것입니다. 결국 기초가 단단하면 어떠한 위기에서도 두려울 것이 없다는 의미가 아닐까요?

*우리 사회의 기초는 무엇일까?

*여러분은 기초를 잘 지키고 있는가?

그랭이 공법

기초가 단단하면 어떠한 위기에도
흔들림이 없다.

기본(基本)을 지켜야 미래가 보인다

우리 사회를 지탱하는 최소한의 양심인 '기본', 여러분은 잘 준수하고 있나요?

인사, 질서, 약속, 배려, 협력, 안전 등.

이러한 기본이 준수되지 않는 사회는 어떤 모습일까요? 아마도 무질서와 사건·사고 그리고 서로 간의 불신이 사회 전체를 덮고 있을 것입니다.

기본(基本)이란 한자에는 흙이 있고 나무가 있고 뿌리가 있습니다. 우리 삶의 최종 종착지이기도 하지요. 따라서 기본 준수는 우리가 지켜야 할 당연한 가치입니다.

*나에게 기본이란 무엇일까?

*여러분은 기본을 준수하고 있는가?

기본(基本) 준수

협력

인사

질서

기본

배려

약속

청결

안전

딱 내 숨만큼만 채취하는 제주 해녀들의 '숨비소리' 지혜

세계 자연유산에 등재된 제주도에서 해녀들의 활동을 쉽게 볼 수 있습니다. 그들은 잠수할 때 1분 정도 숨을 참고 10미터 아래에서 전복이나 성게 등 해산물을 채취합니다. 잠수를 마치고 수면에 올라와 내뱉는 특이한 소리를 '숨비소리'라 하는데, 이는 수압차를 극복하기 위해서랍니다. 만약 숨을 참지 않고 공기통을 메고 해산물을 채취하면 더 많은 수확을 얻을 수 있을 텐데 그들은 호흡에 의지합니다. 그들이 공기통을 메지 않는 이유는 딱 내 숨만큼만 해산물을 채취하기 위해서랍니다. 제주 해녀는 바람과 파도로부터 인생의 지혜를 배운 게 아닐까 싶습니다. 그들은 잘 사는 것보다 오래 사는 것을 더 바라고 있지 않은가 생각됩니다.

*지나친 욕심으로 낭패를 본 적은 없는가?

*혹시 지금 무리하고 있지는 않은가?

해녀들의 지혜

그들이
공기 통을 메지 않는 이유는
딱 내 숨만큼만 해산물을
채취하기 위해서다.

만약에 공기 통을 메면
욕심이 생기기 때문이다.

가장 먼저, 꼭 있어야 하는 기본

기본은 어떤 일을 이루기 위해 가장 먼저, 꼭 있어야 하는 것입니다. 우리 사회에 기본이란 어떤 것이 있을까요? '기초질서', '준법정신', '예절과 이웃에 대한 배려' 등의 기본은 우리 사회를 지탱하는 기초임이 분명합니다. 그런데 이러한 기본이 준수되지 않고 거짓과 무질서가 팽배해 있다면 우리 사회는 어떻게 될까요? 아마 미래를 보장할 수 없을 것입니다. 기본을 준수하는 기업, 거짓과 무질서가 없는 사회라면 우리 앞에 어떠한 위기와 어려움이 닥치더라도 능히 극복할 수 있을 것입니다. 기본을 준수하는 여러분이 진정한 금메달입니다.

*여러분은 기본을 준수하고 있는가?

*인간관계에 있어 기본이란 어떤 것일까?

Simply, Easily & Completely!
2018년 4월 9일(월)~4월 15일(일)

기본을 준수하는 당신이
금메달입니다.

따뜻한 보금자리인 가정은 행복의 시작

가정은 여러 사람이 함께 어울려 살아가는 사회의 기초 단위이며 가정이 모여 사회가 되고 또 국가가 됩니다. 가정은 사회생활을 하면서 지친 몸과 마음을 편히 쉬게 해주는 보금자리이며 가정의 휴식을 통하여 다시 활기찬 사회생활을 할 수 있습니다. 따라서 가정은 가족이 함께 살아가는 따뜻한 보금자리인 동시에 행복의 출발점입니다.

이번 한 주 5월의 푸르름과 함께 가정의 소중함을 다시 한 번 생각하는 시간이 되었으면 좋겠습니다.

*가장 행복했던 때는 언제였나?

*가정에서 나의 역할은 무엇인가?

Simply, Easily & Completely!
2018년 5월 7일(월)~5월 13일(일)
가정은 행복의 시작점입니다.
☎ 1566-6043 www.e-poster.co.kr

시간 준수는 올바른 회의 문화의 출발점

우리 조직의 회의 문화는 어떻습니까? 필요한 자료는 사전에 공지하고, 제 시간에 시작해서 정해진 시간에 마치나요? 늦게 참석한 직원 때문에 회의가 길어지고 있지는 않은가요? 아름다운 회의 문화는 시간 준수에서부터 시작됩니다. 올바른 회의 문화를 위하여 지금 당장 해야 할 일은 '시간 준수'입니다.

*회의에 늦게 참석하여 사람들에게 피해를 주는 경우는 없는가?

*우리 조직은 회의에 대한 기본수칙을 가지고 있는가?

회의문화 만들기

회의에 늦게 참석한 직원이 있을 때,
이미 처리한 내용을 요약 정리해서 알려주지 마라.
그러면 지각한 직원에게는 상을 주고
정시에 참석한 직원에게는 벌을 주는 것이다.

– 먼데이 모닝 리더십

회의문화를 SMART하게 만들려면

SMART한 회의문화는 어떤 것일까요? 회의(會議)하기 위하여 모였다가 회의(懷疑)를 느끼는 경우가 있지는 않습니까? 사전 계획과 준비 없이 진행되는 회의는 의사소통과 협의의 도구인 회의(會議)가 참석자들로 하여금 회의(懷疑)를 느끼게 만들 수도 있습니다. 회의 목적을 명확히 하고, 사전 공지와 충분한 준비, 그리고 적극적인 의견 개진을 통하여 조직의 회의 문화를 SMART하게 만들어 갑시다.

*지금 계획된 회의는 SMART 원칙을 준수하고 있는가?

*나는 회의에 참석하여 적극적인 의견을 개진하고 있는가?

회의는 SMART 하게!

SIMPLE — 회의 목적은 단순 명확

MEMBERSHIP — 꼭 필요한 Member만

ACTIVE — 의견은 적극 개진, 협의 사항은 반드시 공유

READY — 회의 자료 사전 배포, 안건 사전 숙지

TIMELY — 정시 참석, 정해진 시간 내 종료 (1hr)

회의문화 1:1:1 캠페인

건강한 조직의 회의 문화는 어떤 모습이어야 할까요?
첫째, 회의 공지는 최소 1일 전까지
둘째, 회의 시간은 최대 1시간 이내로
셋째, 회의 결과는 최대 1일을 넘지 않고 공유해야 합니다.
회의문화 1:1:1을 통하여 성숙된 회의 문화를 만들어갑시다.

*우리 조직의 회의 문화에 개선이 필요한가?
*회의 문화 1:1:1이 제대로 실천되고 있는가?

2013년 11월 4일(월)~11월 10일(일)

회의문화 '1:1:1' 캠페인

회의 공지는 최소 1일전
회의 시간은 최대 1시간
결과 공유는 최대 1일내

1566-6043 www.e-poster.co.kr

통(通)경영, 상사와의 관계

상사와 통한다는 것은 어떤 의미일까요? 조직생활에 있어 상사와 직원과의 신뢰는 무엇보다도 중요합니다. 상하 간에 명확한 의사소통과 커뮤니케이션을 바라고 있지만 그 속에 존경과 신뢰가 자리 잡지 못한다면 지시와 복종의 관계가 될 뿐입니다.

믿음과 신뢰, 존중과 배려가 자리 잡고 있는 진정한 리더십과 소통이 우리가 바라는 통(通)경영입니다.

*여러분은 믿음과 존중을 바탕으로 상사와 통하고 있습니까?

*여러분은 신뢰와 배려를 바탕으로 직원과 통하고 있습니까?

신뢰로써
상사와 통(通)하고 있는가?

원활한 프로세스를 위한 통(通)경영

조직의 업무 프로세스가 잘 통(通)하는 기업은 느리게 통(通)하는 기업에 비해 어떤 장점이 있을까요? 신속한 고객대응, 빠른 의사결정 등으로 결국 프로세스를 만들어내는 비용(원가)이 적게 소요된다는 것입니다. 이것은 경쟁기업에 대한 최고의 경쟁력이며 조직원의 업무 만족도를 향상시킬 수 있습니다.

*우리 회사의 업무 프로세스는 잘 통하고 있는가?

*우리 회사의 병목(bottleneck) 현상이 있는 곳은 어디인가?

Simply, Easily & Completely!
2014년 10월 13일(월)~10월 19일(일)

업무 프로세스는 통(通)하고 있습니까?

☎ 1566-6043 www.e-poster.co.kr

눈 내린 들판을 슬기롭게 걷는 법

"눈 내린 들판을 걸어갈 때는 그 발걸음을 어지럽게 걷지 마라. 오늘 걷는 나의 발자국은 반드시 뒷사람의 이정표가 될 것이다."

조선시대 서산대사가 지은 시로 앞에 걸어간 사람이 없고, 이 길이 어디로 이어질지 모를 때 아무도 뒤따라오는 사람이 없는 것으로 보여도 한 눈 팔지 말고 앞만 보고 가라는 말입니다.

나 홀로 걸음이 외롭고 확신이 들지 않더라도 나의 걸음에 뒤따라올지 모를 누군가에게는 소중한 길잡이가 될 수 있다는 것을 잊지 말고 자기 자신을 제대로 세우라는 것입니다. 생활 속에서 항상 곧은 마음과 곧은 자세를 잃지 말아야겠습니다.

*자신이 가고 있는 길이 후배들에게 모범이 된다고 생각하는가?

*내가 가장 존경하는 선배는 지금 어떤 모습을 하고 있는가?

踏雪野中去(답설야중거)
不須胡亂行(불수호란행)
今日我行跡(금일아행적)
遂作後人程(수작후인정)

눈 내린 들판을 걸어갈 때는
그 발걸음을 어지럽게 걷지 마라.
오늘 걷는 나의 발자국은
반드시 뒷 사람의 이정표가 될 것이다.
-서산대사

집중력을 향상시키는 정리정돈

정리정돈이 잘된 책상은 일에 대한 집중력을 향상시켜 올바른 결과물을 만들어 줍니다. 그러나 정리정돈이 안 될 경우 집중력이 떨어져 결과물의 오류뿐 아니라 정보누출의 위험까지 있습니다.

여러분의 책상은 어떻습니까? 사용하는 것과 사용하지 않는 것을 명확히 정리하고 필요한 물품은 찾기 쉽게 정돈하여 업무의 집중력을 향상시키는 것은 어떻겠습니까?

*여러분의 책상은 잘 정리되어 있는가?

*지금 책상 위에 불필요한 것은 없는가?

Simply, Easily & Completely!
2015년 1월 26일(월)~2월 1일(일)

지금 여러분의 책상은 어떻습니까?

상대방이 앞에 있다고 생각하며 전화를 받으면

전화 통화 중 상대의 불손한 응대에 짜증난 적은 없습니까?

"거참! 모르겠다는데 왜 그래요?"

"그깟 일로 전화를 합니까?"

"글쎄요, 다른 부서에 문의하시죠."

"그러니까. 제가 말씀드린 대로 하시라니까요."

"그런 식으로 말씀하시면 안 되죠." 등

상대를 직접 대면하지 않고 의사를 전달하는 전화, 거기에도 분명 보이지 않는 전화예절이 있습니다. 상대방이 앞에 있다고 생각한다면 당신의 전화예절도 달라질 것입니다.

*통화가 끝나면 누가 먼저 전화를 끊는가?

*전화 통화 중 상대방의 친절에 기분 좋았던 적이 있는가?

이런 통화 어떠십니까?

불손한 응대 태도
–"거참! 모르겠다는데 왜 그래요?"

고객의 용건 무시
– "그깐 일로 전화를 합니까?"

고객의 말을 중간에 차단

무성의하고 불분명한 응대
–"글쎄요, 다른 부서에 문의하시죠."

낮춤말, 반말투 사용

고객을 가르치려는 자세
–"그러니까,
제가 말씀 드린대로 하시라니까요."
"그런 식으로 말씀하시면 안되죠."

지금 당신은?

회의(會議)를 하다 회의(懷疑)를 느낀다?

여러분의 회의는 어떤 모습입니까? 회의(會議)를 하다 보면 회의(懷疑)를 느낄 때도 있다고 합니다. 그러나 필요한 회의라 할지라도 참석자들의 태도에서 아쉬움이 많을 때도 있습니다. 회의시간 끝까지 한 마디 말도 없는 '침묵 형'에서부터 '방관 형', '딴짓 형', '수면 형', 그리고 '나만 아니면 돼 형' 등 당신의 회의 모습은 어떻습니까?

*회의참석 기준(룰)은 설정하고 있는가?

*회의 시작 전에 마치는 시간을 정하는가?

여러분의 회의는 어떤 모습입니까?

지구를 건강하게 하는 에너지 절약

우리 손으로 만든 편리한 제품들 절제하면 지구는 더 건강해집니다. 사용하지 않는 전기기기는 플러그를 뽑아 두시고 아래 사항을 꼭 준수합시다.

·낮은 층은 계단 이용

·에어컨보다 선풍기 사용

·고효율 조명 사용

·불필요한 전등은 소등

*퇴근시간에는 플러그를 뽑아두자!

*낮은 층은 계단을 이용하자!

에너지절약으로 CO_2 배출감소

사용하지 않는 전기기기는 플러그를 뽑아 둡시다

낮은 층은 계단 이용

에어컨보다 선풍기 사용

고효율 조명 사용

불필요한 전등은 소등

CO_2

구성원과 마음이 통하는 통(通)경영

조직사회에 있어 상사와 직원은 어떤 관계인가요? '지시와 복종', 아니면 '존중과 신뢰'? 우리는 당연히 '존중과 신뢰'라고 이야기하겠지만 이는 서로의 마음이 통(通)해야 한다는 뜻입니다. 통(通)하는 관계에서는 바람과 요구가 아니라 존중과 신뢰가 자리 잡고 있습니다. 우리 조직의 모든 구성원이 마음으로부터 신뢰와 존중을 바탕으로 통(通)하는 조직문화를 만들어가야 할 것입니다.

*마음으로부터 부하직원을 신뢰하고 있는가?

*존중을 다하며 상사와 통(通)하고 있는가?

Simply, Easily & Completely!
2015년 7월 27일(월)~8월 2일(일)
믿음으로써
부하직원과
통(通)하고 있는가?
通
☎ 1566-6043 www.e-poster.co.kr

평생의 투자는 인재육성

1년의 계획은 곡식을 심고, 10년의 계획은 나무를 심고, 평생의 계획은 사람에게 투자하라고 합니다. 기업은 창의적인 인재육성이 그 어느 때보다도 중요한 시기이며, 사람에게 투자하지 않는 기업은 그들의 미래를 보장받을 수 없습니다.

조직 구성원 또한 배움을 게을리 해서는 안 될 것입니다. 숨겨진 자신의 능력을 끌어내고 시대가 요구하는 창의적인 자원이 될 수 있어야만 조직 구성원으로서 함께 성장할 수 있을 것입니다.

*우리 조직은 인재육성을 위하여 얼마나 투자하고 있는가?

*나는 자기개발을 위하여 얼마나 노력하고 있는가?

사람을 심는 것

일 년의 계획은 곡식을 심는 것과 같고,
십 년의 계획은 나무를 심는 것과 같고,
평생의 계획은 사람을 심는 것과 같다.

– 관자

제2장

혁신의 비전으로 성과를 관리하자

SMART한 목표 설정

'측정할 수 없으면 관리할 수 없다'는 이야기가 있습니다. 매년 경영목표를 수립하고 있지만 계량화되지 못한 목표는 성과를 측정할 수 없습니다. 우리가 만든 경영목표가 'SMART'하게 설정되었는지 다시 한 번 확인할 때입니다.

*측정 가능한 목표가 수립되었는가?

*목표는 방침(Vision)과 일관성이 있는가?

SMART한 목표설정

Specific(구체적일 것) : 정확히 무엇을 달성하려는가?

Measurable(측정할 수 있을 것) : 목표달성 여부를 어떻게 판단 할 것인가?

Achievable(달성할 수 있을 것) : 직원들이 해낼 수 있는 일인가?

Realistic(현실성) : 해당 상황에서 가능한 일인가?

Time-based(시기) : 언제쯤 목표를 달성할 것인가?

펭귄에게 배우는 상생의 팀워크

남극 대륙의 황제 펭귄은 무리를 짓지 않으면 죽고 만다고 합니다. 수천 마리의 수컷 펭귄들은 함께 몸을 움츠리고 서로의 체온에 의지해 냉혹한 추위를 견디는 것이죠. 그들은 번갈아 가며 무리 바깥쪽에 서고 안쪽에 있는 펭귄들은 그동안 잠을 잔다고 합니다.

펭귄에게 배우는 상생의 팀워크, 우리에게 주는 소중한 교훈입니다.

*나는 동료를 위하여 나 자신을 희생할 수 있는가?

*팀워크를 향상시키기 위해 나는 오늘 무엇을 할 것인가?

펭귄에게 배우는 팀워크

남극 대륙의 황제 펭귄은 무리지어 있지 않으면 죽고 만다.
수천마리의 수컷 펭귄들은 함께 몸을 움츠리고
서로의 체온에 의지해 냉혹한 추위를 견뎌낸다.
그들은 번갈아 가며 무리 바깥쪽에 서고,
안쪽에 있는 팽귄들은 잠을 잔다.

– 행복한 경영이야기

공감대를 이끌어내야 조직의 전략이 성공할 수 있다

조직이 성공하려면 조직의 전략에 대하여 최고 경영진부터 말단 직원에 이르기까지 하나의 공감대를 이루어야 합니다. 구성원들로부터 공감을 얻지 못한 전략은 결코 성공할 수 없으며, 실행 과정 또한 불신과 잡음으로 삐걱거릴 수밖에 없습니다. 아무리 현명한 전략이라도 구성원의 공감대를 이끌어내지 못하면 실패하게 마련입니다.

*조직의 미션과 비전에 대하여 우리 모두가 공감하고 있는가?

*목표를 달성하기 위하여 구성원과 충분히 공유하고 있는가?

성공하는 회사의 경영전략

성공하는 회사는 총체적 목적에 관하여
최고경영진에서 말단 직원에 이르기까지
하나의 공감대를 이루고 있다.
아무리 현명한 경영전략이라도
직원의 공감을 이끌어 내지 못하면 실패하고 만다.

-존영 HP 전회장

우선순위를 정할 수 있어야 유능한 관리자

"관리자의 90%가 조직이 선택한 주요 목표에 집중하지 못한다."고 합니다. 우리 조직은 어떻습니까? 비생산적인 '바쁨' 때문에 중요한 기업 활동을 못하고 있지는 않습니까?

유능한 관리자란 일의 중요도와 긴급성을 고려하여 우선순위를 결정할 수 있는 능력을 가져야 합니다.

*지금 하고 있는 일이 가장 우선순위인가?

*쓸데없이 바빠서 중요한 일을 놓치는 경우는 없는가?

Busyness 때문에 Business를 못하는 관리자

관리자의 90%가
조직이 선택한 주요 목표에 집중하지 못한다.
그들은 비생산적인 Busyness(바쁨) 때문에
중요한 Business(기업) 활동을 못하고 있다.
– HBR(Harvard Business Review)

조직 혁신은 함께 실천해야 할 목표

조직 혁신을 방해하는 병폐로 타성, 관행, 이기주의, 형식주의, 그리고 권위주의를 말합니다. 이러한 병폐는 조직의 성장과 발전, 그리고 화합을 저해하는 요소로 만약 우리 조직에 이러한 병폐가 있다면 가장 먼저 제거해야 할 항목입니다. 조직 혁신은 혼자 하는 것이 아니라 우리 모두 함께 실천해야 할 목표이기 때문입니다.

*우리 조직은 혁신의 필요성을 느끼고 있는가?

*우리 조직에서 가장 먼저 제거해야 할 병폐는 무엇인가?

Simply, Easily & Completely!
2013년 8월 12일(월)~8월 18일(일)

혁신을 방해하는 5대 병폐

타성

관행

이기 주의

형식 주의

권위 주의

전 부터 하던거라..

나만 잘 되면..

그런것 까지 내가?

도전적 목표가 획기적 성장을 촉진한다

누구나 쉽게 달성할 수 있는 목표로는 구성원들의 잠재된 능력을 발휘하게 할 수 없습니다. 시간이 지나면 당연히 달성될 수 있는 것은 목표라고 할 수 없습니다. 도전적인 목표! 그것은 5%의 단순한 성장이 아니라 30%의 획기적 성장을 유도하며, 구성원 내부에 잠재되어 있는 혁신적인 아이디어를 찾을 수 있는 동기가 됩니다.

*2014년 목표는 도전적으로 설정되었는가?

*30% 성장을 위해서는 어떤 접근 방법이 필요한가?

5% 성장은 불가능해도
30% 성장은 가능하다

-김쌍수 전 LG전자 부회장

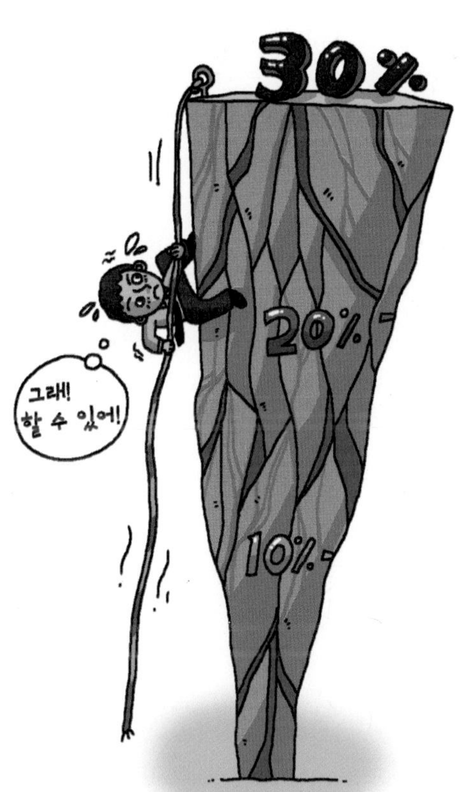

목표보다는 동기부여가 우선이다

비전은 5~10년 동안 우리 조직이 이루어야 할 꿈이 실린 목표이며 바람직한 미래의 모습을 제시하는 것을 말합니다. 만약 조직의 비전이 명확히 설정되어 있다면 이를 효과적으로 실행하기 위해 구성원들의 자발적 참여를 위한 동기를 불러일으킬 수 있어야 할 것입니다. 프랑스의 문학인 생텍쥐페리는 배를 만드는 방법보다 배를 만들어야 하는 이유를 보여줌으로써 그들의 동기를 불러일으킬 수 있다고 하였습니다. 다음과 같은 질문에 답을 할 수 있는지 함께 생각해 봤으면 좋겠습니다.

*우리 조직은 명확한 비전이 설정되어 있는가?

*우리 조직은 구성원에게 어떻게 동기를 부여하고 있는가?

비전과 동기부여

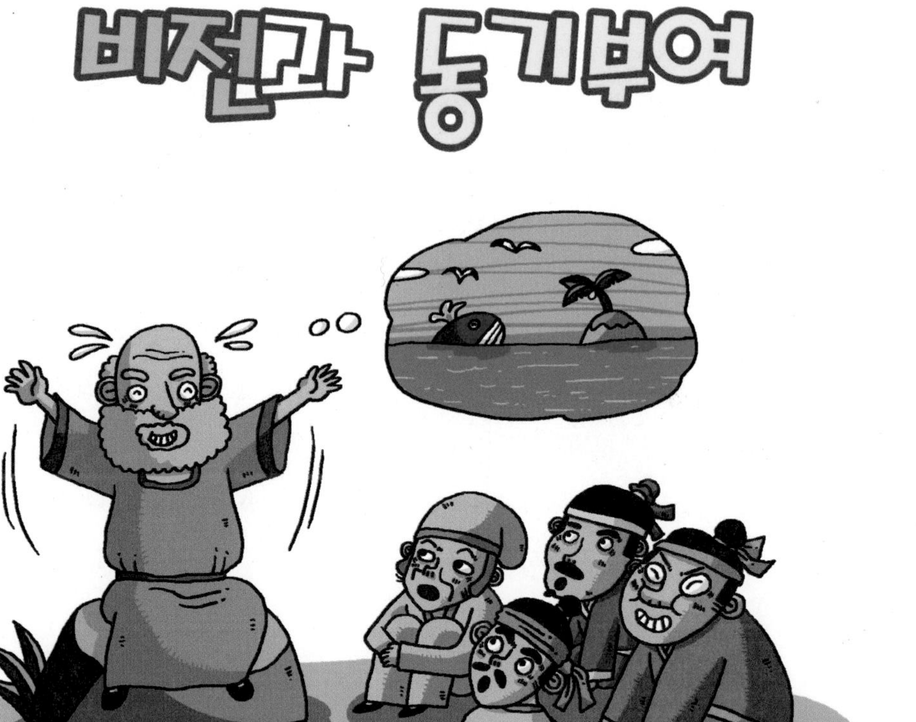

만약 당신이 배를 만들고 싶다면,
사람들을 불러 모아 목재를 가져오게 하고 일을 지시하고
일감을 나눠주는 등의 일을 하지 마라!
대신 그들에게 저 넓고 끝없는 바다에 대한 동경심을 키워 줘라

– 생텍쥐페리

미래는 오늘의 모습을 기억한다

주식 투자자로 잘 알려진 워런 버핏이 세계 최고의 부자가 된 이유는 장기적인 관점에서 미래를 위하여 투자하였기 때문입니다. 그가 단기적인 투자에 집중했다면 오늘의 워런 버핏은 없었을 것입니다. 세상을 살아가며 단기적인 이익이나 성과에 눈이 어두워 잘못된 결정을 할 수 있습니다. 그러나 워런 버핏은 "그늘에 앉아 쉴 수 있는 이유는 오래 전에 누군가가 나무를 심었기 때문이다."라고 말하였습니다.

지금의 노력과 열정이 훗날 휴식과 만족을 제공해주는 큰 나무가 될 수 있다는 사실을 기억하고 최선을 다하십시오. 미래는 분명 오늘의 모습을 기억해줄 것입니다.

*미래를 위하여 어떤 준비를 하고 있는가?

*우리(나)에게 그늘을 제공해주는 것은 무엇인가?

그늘에 앉아 쉴 수 있는 이유는
오래 전에 누군가가 나무를 심었기 때문이다

–워런 버핏

함께 참여할 때 조직의 비전은 현실이 된다

어릴 때 어떤 꿈이 있었습니까? 누구나 원대한 꿈을 꾸며 어린 시절을 보냈을 것입니다. 그러나 세상 속에서 꿈은 현실을 만나 조금씩 작아지다가 어느덧 꿈은 희망이 되고 소망이 되었을 수도 있습니다.

조직에서 꿈이란 어떤 것일까요? 조직의 꿈은 미래에 대한 비전입니다. 비전은 조직 구성원이 바라는 장·단기 목표이며 반드시 정해진 기한에 달성해야 할 과제이기도 합니다. 이러한 목표와 과제를 나 혼자 달성하려면 그것은 꿈이겠지만, 조직 구성원들이 함께 성취하려고 노력한다면 반드시 현실이 될 수 있습니다. 따라서 모두가 열린 사고로 꿈을 공유한다면 그 꿈은 반드시 이루어질 것입니다.

*당신은 어떤 꿈이 있었고, 지금은 어떤 꿈이 있는가?

*우리 조직은 어떤 비전을 가지고 있는가?

Simply, Easily & Completely!
2014년 7월 7일(월)~7월 13일(일)

한 사람의 꿈은 꿈이지만, 만인이 꿈꾸면 현실이 된다

혁신으로 재무장하는 솔개의 지혜

"솔개는 최고 약 70세의 수명을 누릴 수 있는데, 이렇게 장수하려면 40세가 되었을 때 매우 고통스럽고 중요한 결심을 해야 합니다. 갱생을 길을 선택한 솔개는 먼저 부리로 바위를 쪼아 부리가 깨지고 빠지게 만듭니다. 이렇게 새로 돋은 부리로 발톱을 하나하나 뽑아냅니다. 그리고 날개의 깃털을 하나하나 뽑아냅니다. 이리하여 약 반년이 지나 새 깃털이 돋아난 솔개는 다시 힘차게 하늘로 날아올라 30년의 수명을 더 누리게 됩니다."

정광호 『우화경영』에 나오는 내용입니다.

*우리(나)에게도 갱생의 노력이 필요한가?

*우리(나)는 미래를 위하여 어떤 준비를 하고 있는가?

솔개의 장수비결

솔개는 40세가 되었을 때
바위를 쪼아 부리가 깨지고 빠지게 만든 후
새로 돋는 부리로 발톱과 날개의 깃털을 하나하나 뽑아낸다.
그리고 새로 돋아난 깃털로 다시 힘차게 날아올라
70세까지 수명을 누린다.

– 정광호 '우화경영'에서

오늘보다는 내일을 준비하는 자세로

'동산에 오르는 자는 마음을 얻고, 태산에 오르는 자는 천하를 얻으며, 내일을 생각하는 자는 매일 급급하고, 십년 뒤를 계획하는 자는 마침내 성공을 얻는다.'고 했습니다. 자신이 원하는 목표를 위해 어떻게 준비해야 할지를 생각하며 눈앞의 이익보다는 멀리 보며 미래를 준비해야겠습니다. 이번 한 주도 현재의 편안함보다는 더 큰 꿈을 향하여 준비하는 소중한 시간이 되시기 바랍니다.

*우리(나)는 어떤 꿈을 가지고 있는가?

*우리(나)는 꿈을 향하여 어떤 목표(열정)를 가지고 있는가?

태산에 오르는 자가 천하를 얻는다

동산에 오르는 자는 마을을 얻고,
태산에 오르는 자는 천하를 얻으며,
내일을 생각하는 자는 매일 급급하고,
십 년 뒤를 계획하는 자는 마침내 성공을 얻는다.

– 리더의 아침을 여는 책

가장 효과적인 전략은 단순화

불필요한 것을 버리면 선택을 단순화할 수 있고 집중이 가능해집니다. 가장 효과적인 전략은 필요한 것과 필요하지 않은 것을 분리하고 불필요한 것은 과감하게 버리는 것입니다. 그리고 끝까지 집중하면 선택과 집중의 시너지가 나타납니다.

지금 당신이 해야 할 일은 선택과 집중입니다.

*지금 당장 버려야 할 것은 무엇인가?

*현재 집중하고 있는 것은 무엇인가?

Simply, Easily & Completely!
2015년 7월 13일(월)~7월 19일(일)
버려라!
선택하라
그리고
집중하라!!
☎ 1566-6043 www.e-poster.co.kr

위대한 사람은 목표가 있고 평범한 사람은 소망이 있다

2016년 병신년(丙申年), 새로운 한 해가 시작되었습니다. 여러분은 올해 어떤 목표를 세우셨습니까? 지난해 1월의 계획을 수정하여 똑같은 일정을 되풀이하고 있지는 않습니까? “위대한 사람에게는 목표가 있고 평범한 사람에게는 소망이 있다.”고 했습니다.

여러분은 소중한 사람입니다. 여러분은 당당한 사람입니다. 평범하게 세상을 살기보다는 뚜렷한 목표를 설정하고 그 삶에 최선을 다할 때 여러분은 위대한 사람이 될 것입니다. 다시 한 번 올해의 목표를 정리하고 힘차게 시작할 수 있기를 기원합니다.

*새해 목표는 명확히 설정하였는가?

*목표 달성을 위하여 여러분이 가진 역량은 충분한가?

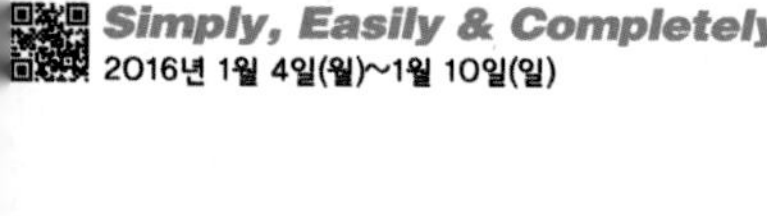
Simply, Easily & Completely!
2016년 1월 4일(월)~1월 10일(일)

'위대한 인물에게는 목표가 있고
평범한 사람들에게는 소망이 있을 뿐이다'
- 워싱턴 어빙

올라 가야겠다.
올라 가고 싶다.

전략보다는 실행이 우선!

올해 사업계획은 효과적으로 실행되고 있나요? 선 마이크로 시스템즈 CEO 스콧 맥닐리는 "전략수립이 30이라면 실행이 70이다."라고 하였습니다. 이는 잘못된 전략이라도 제대로 실행하면 성공할 수 있다는 의미입니다. 반대로 이야기하면 "아무리 뛰어난 전략이라도 제대로 실행하지 않으면 실패하고 만다."는 뜻도 될 수 있습니다.

올바른 실행을 위해 첫 번째 해야 할 것은 조직 구성원과의 공감대를 바탕으로 그들의 의욕과 성과를 이끌어내기 위한 임파워먼트(empowerment), 즉 권한 이양입니다.

*올해 진행 중인 계획은 효과적으로 실행되고 있는가?

*실행력을 높이기 위하여 지금 당장 해야 할 일은 무엇인가?

잘못된 전략이라도
제대로 실행하면 성공할 수 있다

전략수립이 30이라면 실행이 70이다.

– 스콧 맥닐리 선 마이크로시스템즈 CEO

준비된 사람이 기회를 잡는다

누구나 인생에 몇 번의 기회가 있다고 합니다.

경기장에서 언제 올지 모르는 기회를 준비하는 사람에게는 출전의 기회가 주어지지만, 준비 없이 벤치만 지키는 사람에게는 기회가 오더라도 출전할 수 없습니다.

기회는 준비된 사람의 몫입니다.

*이미 지나간 기회를 잡지 못했던 이유는 무엇인가?

*기회를 잡기 위하여 어떤 준비를 하고 있는가?

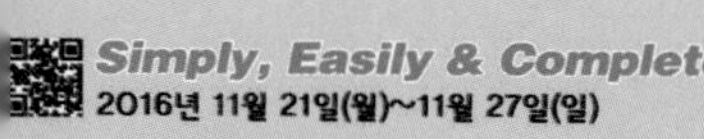

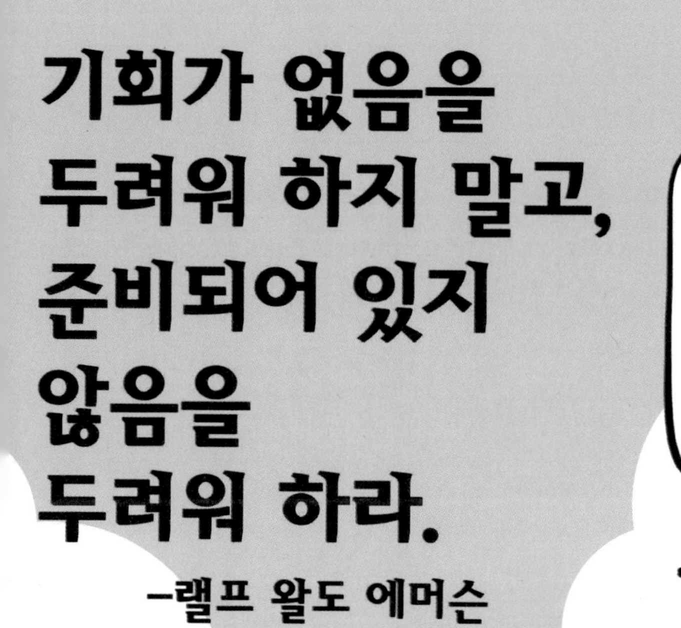

기회가 없음을 두려워 하지 말고, 준비되어 있지 않음을 두려워 하라.

—랠프 왈도 에머슨

내겐 기회가
오지 않으면
어떡하지??

인생 마라톤을 멋지게 완주하는 비결

인생이라는 장거리 마라톤에 여러분은 어디까지 달리고 있습니까? 짧고도 긴 마라톤을 완주하기 위해서는 가장 먼저 내 주변을 돌아볼 필요가 있습니다.

산에 오를 때 우리를 괴롭히는 것은 먼 산이 아니라 신발 속에 들어가는 작은 모래인 것처럼 내 인생에서 주변을 잘 정리하는 것 또한 무리 없이 장거리를 완주할 수 있는 길입니다. 현재의 작은 불편이 나중에는 큰 위험이 될 수도 있습니다.

*내 인생의 장거리 마라톤 어디까지 왔을까?

*지금 나에게 가장 큰 위협이 될 수 있는 것은 무엇일까?

우리를 괴롭히는 것은
먼 산이 아니라
신발 속에 들어가는
작은 모래다.

-중국속담

딥 워크, 열정과 몰입이 비결이다

딥 워크는 '강한 열정과 몰입으로 일에 대한 성과를 만들자.'라는 의미입니다. 최근 직장인들 사이에서 '저녁이 있는 삶'을 추구한다는 이야기를 듣곤 합니다. 누가 들어보아도 혹할 수 있는 말이지만 거기에는 전제조건이 필요합니다. 정시에 퇴근해서 가정생활 또는 개인의 지식 개발과 취미생활을 할 수 있겠지만 정해진 근무시간에 몰입하지 않고 저녁이 있는 삶을 기대한다면 그것은 잘못된 바람이 아닐까요? 당신의 딥 워크, 오늘은 어떻습니까?

*나는 정해진 근무시간에 몰입하고 있는가?

*관리직의 업무 성과에 대하여 어떻게 생각하는가?

딥 워크(Deep + Work)

성과=열정+몰입

제3장

함께 꿈꾸는 조직으로 거듭나자

눈앞의 이익보다 미래를 위하여

눈앞에 있는 이익을 찾는 것보다는 보다 멀리 보고 준비하는 노력이 필요합니다. 토머스 플러는 "오늘 계란 하나를 가지는 것보다 내일 암탉 한 마리를 가지는 게 낫다."고 이야기하였습니다. 당장은 불편하고 부족할지라도 더 나은 미래를 위하여 철저하게 준비하고 계획한다면 우리의 미래는 더 밝고 풍성해질 것입니다.

*지금 가져야 할 것을 어떻게 준비하고 있는가?

*우리(나)에게 과분하고 지나치게 풍족한 것은 없는가?

오늘
계란 하나를
가지는 것보다

내일
암탉 한마리를
가지는게 낫다

새로운 도전, 함께 출발합시다

2014년 새로운 도전이 시작되었습니다. 특별히 2014년은 말의 해 갑오년(甲午年)으로 갑오의 오(午)는 말을 의미하며 특별히 청마, 청말 띠의 해입니다. 말은 풀과 야채를 먹고 온순하지만 힘이 세고 빠르게 움직이는 특성이 있습니다. 연초(年初)에 구상한 모든 계획 청말의 기운으로 힘차게 시작합시다. 馬不停蹄(마불정제)! 달리는 말은 말굽을 멈추지 않습니다.

*2014년 개인과 조직의 목표는 설정되었는가?

*새로운 도전을 위하여 필요한 역량은 어떤 것인가?

Simply, Easily & Completely!
2014년 1월 6일(월)~1월 12일(일)

새로운 도전,
우리 함께 시작합시다

☎ 1566-6043 www.e-poster.co.kr

꿈과 생각의 크기만큼 자란다

꿈은 생각의 크기만큼 자랍니다. 일본인들이 많이 기르는 관상어 중에 코이라는 잉어가 있습니다. 이 잉어를 작은 어항에 넣어 두면 5~8센티미터밖에 자라지 못합니다. 그러나 아주 커다란 수족관이나 연못에 넣어두면 15~25센티미터까지 자라고 강물에 방류하면 90~120센티미터까지 성장한다고 합니다. 여러분 자신이나 여러분의 조직이 가지고 있는 상상의 보자기, 즉 꿈과 생각의 크기는 어느 정도입니까?

*우리(나)는 어떤 꿈을 가지고 있는가?

*꿈을 실현하기 위하여 지금 실행하고 있는 행동은 무엇인가?

꿈과 생각의 크기 만큼 자란다

일본인들이 많이 기르는 관상어 중에 코이라는 잉어가 있다.
이 잉어를 작은 어항에 넣어 두면 5~8센티미터 밖에 자라지 않는다.
그러나 아주 커다란 수족관이나 연못에 넣어두면 15~25센티미터 까지 자란다.
그리고 강물에 방류하면 90~120센티미터까지 성장한다.

–휴넷, '리더십에센스'에서

꿈꾸는 자가 목표를 이룬다

꿈은 저절로 이루어지지 않습니다. 꿈은 도전하는 자의 것이며 실행하는 자가 이룰 수 있을 것입니다. 꿈을 날짜와 함께 적어 놓으면 그것은 목표가 되고, 목표를 잘게 나누면 그것은 계획이 되며, 그 계획을 실행에 옮기면 꿈이 실현되는 것입니다.

*우리 조직의 목표와 계획은 무엇인가?

*목표를 이루기 위하여 어떤 도전과 실천을 하고 있는가?

꿈을 날짜와 함께 적어 놓으면 목표가 되고,
목표를 잘게 나누면 계획이 되며,
계획을 실행에 옮기면 꿈이 실현되는 것이다.

–그레그 S. 레이드 워크스마트사 창립자

비전, 집중, 그리고 변화

비전이란 우리가 바라는 바람직한 미래상으로 단기간에 달성할 수 있는 계량화된 목표라고 할 수 있습니다. 따라서 명확한 비전이 있어야만 정확한 방향을 설정할 수 있습니다. 또한 그 방향을 제대로 가기 위해서는 집중하는 능력이 있어야 합니다. 집중이란 한 가지 일에 모든 걸 쏟아 붓는다는 뜻입니다. 열정적으로 집중의 힘을 발휘할 때 최선의 결과가 나옵니다. 늘 변화의 흐름을 주시하고 적절한 위기의식을 바탕으로 실천하는 사람만이 올바른 방향으로 나아갈 수 있습니다.

*우리는 지금 명확한 비전이 있는가?

*우리(나)는 변화를 두려워하지는 않는가?

우리를 올바른 방향으로 이끄는 것은 '비전', '집중' 그리고 '변화'이다!

30초 안에 자신을 소개하는 법

"나는 누구이고, 무슨 일을 하는지 30초 안에 소개할 수 있습니까?" 밤하늘의 별똥별을 보면 소원을 빌어야 하는데, 소원이 준비되어 있지 않은 사람은 멀뚱멀뚱 별똥별만 쳐다볼 뿐입니다. 일에 있어서도 마찬가지입니다. 어떤 일을 하고자 할 때는 그에 대한 목표와 비전이 무엇인지 정확히 알고 남에게 설명할 수 있어야 올바른 방향으로 일을 마무리할 수 있습니다.

*여러분의 소원은 무엇이고, 목표는 무엇인가?

*자기 자신을 30초 안에 소개할 수 있는가?

Simply, Easily & Completely!
2016년 12월 26일(월)~2017년 1월 1일(일)

언제 어디서든
'나는 누구이고, 무슨 일을 하는지"
30초 안에 소개할 수 있는가?

새해에 해야 할 일, 우리의 선택을 최고로 만드는 것

2017년 정유년. 이제 해야 할 일은 나의 선택을 최고로 만드는 것! 정유년 새해가 밝았습니다. 올해는 그 어느 때보다 나라 안팎으로 불확실성이 최고조로 달할 것으로 예상합니다. 이런 때일수록 우리의 마음자세는 기본과 원칙을 준수하며 모두가 하나 된 모습으로 힘을 모아야 합니다. 불확실성 아래서 조직의 성과는 실패한 경쟁자보다 두 배 이상의 이익을 얻을 수 있습니다. 이제 해야 할 일은 우리의 선택을 최고로 만드는 것입니다. 희망찬 한 해 우리 모두를 응원합니다. 파이팅~~!

*올해 반드시 이루고자 하는 목표는 무엇인가?

*이러한 목표를 이루기 위해 어떤 다짐을 하였나?

이제 해야 할 일은 나의 선택을 최고로 만드는 것!

꿈은 세밀한 설계도를 바탕으로 짓는 집이다

인간은 삶을 통해 이루고 싶은 꿈을 가지고 있습니다. 우리 인생은 꿈을 향해 노력하는 과정이며 오늘은 그 꿈을 향한 작은 점으로 비유할 수 있으며, 시간이 지나 그 점을 연결하면 꿈을 이루기 위한 과정이 되었다는 것을 알 수 있습니다.

꿈을 집으로 비유했을 때 설계도는 집을 짓는 과정이며 계획된 일정에 따라 작업이 수행되면 마침내 집이 완성되는 것과 같이 개인의 꿈도 세밀한 설계도를 중심으로 진행되어야 합니다.

*여러분은 어떤 꿈을 가지고 있는가?

*꿈을 실현하기 위한 설계도는 준비하고 있는가?

꿈은 세밀한 설계도를 바탕으로 짓는 집이다

꿈을 실현하기 위한 일처리 3단계

새해 어떤 꿈을 꾸셨나요? 꿈을 실행하기 위한 쉬운 일처리 3단계를 소개합니다.

첫째, 해야 할 일을 나열하고 긴급성과 중요도를 고려하여 우선순위를 정하세요.

둘째, 눈에 잘 보이는 곳에 부착하고 순서에 따라 실행하세요.

셋째, 완료한 일은 체크하고 다음 일을 실행하세요.

이 3단계를 꾸준히 실행하셨다면 얼마 후 여러분의 꿈은 이루어졌을 것입니다.

*오늘 해야 할 일을 결정하자!

*긴급성과 중요도를 고려하여 우선순위를 정하자!

Simply, Easily & Completely!
2018년 1월 1일(월)~1월 7일(일)

당신의 꿈을 실현하고 싶은가요?

그렇다면 오늘 해야 할 일을 정하고
우선 순위를 결정하세요.

즐기는 사람이 노력하는 사람을 이긴다

공자님 말씀인 『논어(論語)』에 천재는 노력하는 사람을 이길 수 없고, 노력하는 사람은 즐기는 사람을 이길 수 없다고 합니다. 즐기는 사람은 일에 대한 어려움과 실패에 대한 두려움이 없으며 창조적 아이디어로 문제를 해결할 수 있습니다. 이번 한 주도 일에 대한 즐거움으로 최선을 다하는 당신이 되시기를 응원합니다.

*나는 노력하는 사람인가, 즐기는 사람인가?

*나는 오늘 내가 하는 일에 어떤 즐거움을 느끼고 있는가?

Simply, Easily & Completely!
2014년 5월 12일(월)~5월 18일(일)
노력하는 사람은
'즐기는 사람'을 이길 수 없다
12
3
6
9
Coffee
1566-6043 www.e-poster.co.kr

제4장

팀워크와 공감으로 협력하고 소통하자

공감대가 조직의 목적을 수행하는 원동력

조직은 한 목소리를 낼 수 있어야 바라는 성과를 이룰 수 있습니다. 개인의 생각이 조직 전체의 의견과 다를 수 있습니다. 역지사지(易地思之)의 마음으로 서로의 입장을 배려하고 존중하는 조직문화를 만들어야 할 것입니다. 조직은 모든 구성원이 모여서 하나의 목적을 수행하는 집합체이기 때문입니다.

*우리 조직은 개개인과 잘 융합하고 있는가?

*우리 조직은 함께 한 목소리를 내고 있는가?

어디가십니까?
우리는 당신이 꼭 필요합니다
조직은 '모든 구성원이 모여 하나의 목적을 수행하는 집합체'입니다

미(미소), 인(인사), 대(대화), 칭(칭찬)

인간관계를 좋게 하는 방법에는 어떤 것이 있을까요? 카네기연구소에서 제시한 네 가지 방법이 있습니다. 미인대칭!

첫째, 미소로 상대방에게 다가간다.

둘째, 먼저 인사하는 습관을 갖는다.

셋째, 따뜻하게 대화하고 듣는 일을 더 중요하게 생각한다.

넷째, 상대방에 대한 칭찬이 포함되어야 한다.

미인대칭을 통하여 더 좋은 인간관계를 형성하시기 바랍니다.

*여러분은 상대방에게 다가가는 사람인가, 기다리는 사람인가?

*미인대칭을 실천해야 할 가장 가까이 있는 사람은 누구인가?

미 / 인 / 대 / 칭

–카네기연구소

인간관계를 좋게 하는 법

인사 대화 칭찬

부하의 이야기를 듣는 경청 스킬

경청(傾聽) 스킬은 상대방의 말과 행동에 대하여 집중해서 듣고 받아들이며 상대방이 얼마나 소중한지 인정해 주는 데서부터 시작됩니다. 마법의 코칭 '에노모토 히테다케'는 경청에 대하여 다음 3단계를 이야기합니다.

1단계, 귀로 듣는 것.

2단계, 입으로 듣는 것.

3단계, 마음으로 듣는 것입니다.

이것은 상대방에게 가슴을 열고 상대방이 내 마음에 들어올 수 있는 마음의 공간을 제공하는 데서부터 시작됩니다. 따라서 마음으로부터의 경청을 통해 상대방의 말과 행동을 집중해서 들음으로써 서로의 가치를 인정하는 것이 진정한 경청 스킬이라 할 수 있습니다.

*나의 경청 습관은 바람직한가?

*나의 의견을 가장 잘 들어주는 상사는 누구인가?

부하의 이야기를 듣는 경청스킬 3단계

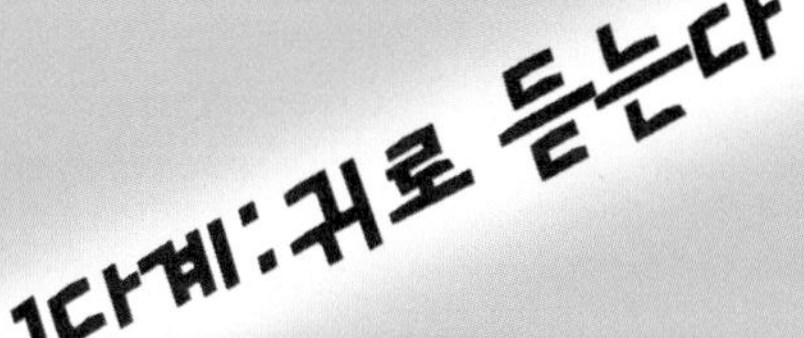

2단계 : 입으로 듣는다

–마법의 코칭 '에노모토 히데타케'

빨리 가려면 혼자 가고, 멀리 가려면 함께 가라

아프리카 속담입니다. 이는 조직의 리더가 설정된 목표를 달성하기 위하여 구성원에게 어떻게 동기를 부여할 것인가에 대한 지침을 제공하고 있습니다. 성공하는 조직이라면 구성원 모두가 설정된 목표를 위하여 한마음으로 함께 걸어갈 때 그 성과는 배가될 것이고 성취의 기쁨도 함께 느낄 수 있을 것입니다.

*지금 나는 혼자 가고 있는가, 함께 가고 있는가?

*스스로 목표달성을 위하여 자발적으로 행동하고 있는가?

빨리
가려면
혼자 가고,

멀리
가려면
함께 가라

– 아프리카 속담

칭찬은 어떻게 고래를 춤추게 할까?

무게 3톤이 넘는 고래가 관객들 앞에서 멋진 쇼를 펼쳐 보일 수 있는 것은 조련사와 고래 간의 긍정적인 태도와 칭찬이 있었기 때문이라고 합니다. 이같이 칭찬은 고래를 춤추게 하는 마력이 있지만, 책망은 상대방을 주눅 들게 하고 사기를 떨어뜨리는 것입니다. 만약 상대방을 책망할 경우라면 남이 모르게 하는 것이 더 중요합니다.

*동료 중에서 칭찬이 필요한 사람은 누구인가?

*책망이 필요하다면 어떤 장소가 가장 적합할까?

친구를 칭찬 할 때는 널리 알리도록 하고
친구를 책망 할 때는 남이 모르게 한다

- 독일속담

입에서 나온 말이 환경과 운명을 만든다

탈무드에 "새장으로부터 도망친 새는 붙잡을 수 있으나 입에서 나간 말은 붙잡을 수가 없다."라는 구절이 있습니다. 이같이 입에서 떠난 말은 다시 주워 담을 수 없기에 신중하게 말하지 않으면 큰 화를 입을 수도 있습니다. 거미는 자기 입에서 나온 거미줄로 집을 짓고 살지만, 인간은 입에서 나온 말로 환경과 운명을 만들고 살아갑니다. 따라서 말은 한 번 내뱉으면 다시 담을 수 없기에 신중하게 사용하여야 할 것입니다.

*상대방에게 상처를 줄 수 있는 말을 한 적이 있는가?
*나는 말을 할 때 상대방의 입장을 고려하고 있는가?

새장으로부터 도망친 새는
붙잡을 수 있으나
입에서 나간 말은 붙잡을 수가 없다

– 탈무드

긍정의 마인드, 세상만사 마음먹기에 달렸다

미국 프로농구 NBA 보스턴 샐틱스 감독이었던 릭 피티노 감독은 긍정에 대하여 다음과 같이 이야기합니다.

"나는 하루 중 98%는 내가 하고 있는 일에 긍정적인 생각을 한다. 그리고 나머지 2%는 어떻게 하면 매사에 긍정적이 될 수 있을까 궁리한다."

보통 우리는 걱정을 스스로 사서 하게 됩니다. 하루 중 98%는 걱정을 하고 나머지 2%는 걱정할 것이 없어 다시 걱정을 하게 됩니다. 그러나 긍정적 생각은 모든 것이 자신감으로 이어져 일이 술술 잘 풀리게 하는 마력을 가지고 있습니다. 세상 모든 것이 마음먹기에 달렸다는 '일체유심조(一切唯心造)'란 말이 있듯이 긍정적인 생각은 일의 성과를 올바른 방향으로 만들어 갈 것입니다.

*나는 긍정적인 사람인가! 부정적인 사람인가!

*지금 찾아야 할 긍정적인 문제는 무엇인가!

긍정의 마인드

나는 하루 중 98%는
내가 하는 일에 긍정적인 생각을 한다.
그리고 나머지 2%는
어떻게 하면 매사에
긍정적이 될 수 있을까 궁리한다.

-미국 농구팀 보스턴 셀틱스의 릭 피티노 감독

팀워크, 푸른 숲이 되려거든 함께 서라

인디언의 속담에 "외나무가 되려거든 혼자 서라, 푸른 숲이 되려거든 함께 서라."는 이야기가 있습니다. 철저히 무소유로 살고 있는 인디언의 언어에서는 과거나 미래를 나타내는 동사 변화가 없다고 합니다. 오늘에 충실할 뿐 미래에 집착하지 않는다는 이야기겠죠. 그러나 우리 현대인들은 현실보다는 미래에 집착하고 함께 가기보다는 빨리 가기를 원하고 있습니다. 나보다 우리를 먼저 생각하고, 오늘에 충실할 때 우리의 삶은 푸른 숲이 되어 맑은 공기를 내뿜을 수 있을 것입니다.

*외나무가 되고 싶은가, 푸른 숲이 되고 싶은가?

*고민이 있을 때 누구에게 도움을 청하는가?

함께 서라

외나무가 되려거든 혼자 서라
푸른 숲이 되려거든 함께 서라
– 인디언 속담

'Understand'의 올바른 의미

상대방을 이해한다는 뜻을 가진 영어 단어 'Understand'는 '아래에서 있다.'는 의미가 있습니다. 우리는 고객 또는 구성원과의 대화 속에서 상대방을 이해한다(Understand)고 하면서도 상대방을 내려다보며 이야기하는 경우가 많은 것 같습니다. 진정 상대방을 이해하기 위해서는 그 사람 아래(Under)에 서야(stand)만 진정으로 그 사람을 이해할(Understand) 수 있을 것입니다.

*나는 상대방의 이야기를 아래에 서서 듣고 있는가?

*나의 경청 습관에서 변화가 필요한 부분이 있는가?

'Understand' 의 의미

'Understand' 의 진정한 의미는
그 사람의 밑(Under)에 서야(Stand)
진정으로 그 사람을
이해(Understand) 할 수 있다는 것이다.

-'성격이 나를 바꾼다'. 에서

네 흉이 바로 내 흉이다

세상을 비판적인 사고로 바라보며 늘 불평과 불만으로 남의 잘못만 지적하는 사람이 있는가 하면, 긍정과 감사의 마음으로 상대에게 우호적인 사람이 있습니다. 소설가 르나르는 "타인의 결점을 눈으로 똑똑히 볼 수 있는 것은 바로 우리 자신에게도 그런 결점이 있기 때문이다."라고 하였습니다. 비판적인 사람과 우호적인 사람, 불평하는 사람과 감사하는 사람, 전자와 후자 중에서 오늘 여러분은 어떤 모습입니까?

*상대의 결점이 보이는가?

*나는 상대에게 어떤 결점이 보일까?

네 흉이 내 흉이다

타인의 결점을 눈으로 똑똑히 볼 수 있는 것은
바로 우리들 자신에게도 그런 결점이 있기 때문이다

– 르나르

아름다운 입술을 가지고 싶으면 친절한 말을 하라

"아름다운 입술을 가지고 싶으면 친절한 말을 하라. 사랑스런 눈을 갖고 싶으면 사람들에게서 좋은 점을 봐라. 날씬한 몸매를 갖고 싶으면 너의 음식을 배고픈 사람과 나눠라. 아름다운 자세를 갖고 싶으면 결코 너 혼자 걷고 있지 않다는 사실을 명심하며 걸어라."

오드리 햅번의 말입니다.

*우리(나)는 고객에게 친절히 말하고 있는가?

*우리(나)에게 친절히 말하는 사람은 누구인가?

Simply, Easily & Completely!
2014년 5월 26일(월)~6월 1일(일)

아름다운 입술을
갖고 싶으면
친절한 말을 하라

—오드리 햅번

그 사람이 그렇게 말하는 데는 그만한 이유가 있다

조직 내에서 작은 불평 하나라도 소중히 받아들여야 진정한 소통이 이루어집니다. 주위를 한 번 살펴보세요. 누군가가 지금 여러분에게 말하고 있습니다. 그 사람이 그렇게 말하는 데는 분명 그만한 이유가 있을 것입니다. 그 이유를 찾고 문제점을 해결해 줄 수 있어야만 진정 그 사람과 대화할 수 있을 것입니다.

*나는 속마음을 이야기하고 싶은 누군가가 있는가?

*나와 대화하기를 원하는 누군가가 있는가?

그 사람이 그렇게 말하는 데는 그만한 이유가 있다

작사도방(作舍道傍), 소통과 신념의 상관관계

'작사도방(作舍道傍)에 삼년불성(三年不成)'이라 했습니다. 조재삼(趙在三, 1808~1866)의 백과전서 『송남잡지(松南雜識)』에 나오는 말로 어느 사람이 길가에 좋은 집을 지으려고 하니 지나가는 사람들마다 한 마디씩 하게 되고, 그 말을 듣다 보면 3년이 지나도록 집을 짓지 못한다는 말입니다. 사람마다 자기 의견만 주장하여 고집하는 어리석음을 빗댄 말이지만, 다른 한편으로 확실한 신념이나 계획도 없이 여론에 휩쓸리지 말고 소신껏 일을 하라는 말이기도 합니다. 소통을 최고의 덕목으로 생각하는 시대, 소통과 신념에 대해 어떻게 생각하십니까?

*어떤 수단과 방법으로 남의 의견을 듣는가?

*누가 어떻게 의견을 조합하여 결정하는가?

작사도방(作舍道傍)

길가에 집을 짓자니 오가는 사람들의 말이 많다

- 조선시대문헌 송남잡식(松南雜識)

'작사도방(作舍道傍)에 삼년불성(三年不成)이라' 했습니다.
여러 사람의 의견을 다 듣다 보니
삼년 걸려도 이루지 못한다는 말입니다.
남의 의견을 귀 기울여 듣는 것도 중요하지만
뚜렷한 자기 주관은 확실히 가지고 있어야 합니다.

조직은 개인들이 협력하는 공동체

회사는 개인들이 일정한 질서 내에서 하나의 형태를 이루어 협력하는 조직 공동체입니다. 따라서 개인은 그들이 해야 할 역할과 책임이 정해져 있으며 이것을 효과적으로 수행해야만 조직의 목적을 달성할 수 있습니다. 그러나 일에 대한 자만과 회피 그리고 불균형이 있다면 그 어떤 조직도 성공할 수 없습니다.

성공하는 조직은 개개인의 역량과 자질을 고려하여 일을 배분하고 있으며 그들은 어떠한 상황에서도 조직 전체의 목적 달성을 위하여 최선을 다하는 조직 구성원이 되어야 합니다.

*우리 조직은 개개인의 역량과 자질을 고려하여 직무를 설계하고 있는가?

*나는 조직의 목적 달성을 위하여 어떤 역할을 수행하고 있는가?

달성

웃는 얼굴은 가장 매력적인 이력서

얼굴이란 들고 다니는 이력서라고 합니다. 웃는 얼굴은 상대방에게 친근감을 주며 문제가 발생되었을 때도 원만하게 해결할 수 있는 원동력이 되곤 합니다.

"웃는 얼굴에 침 못 뱉는다."라는 옛말과 같이 밝고 환한 얼굴은 상대방에게 친근감을 주며 우호적인 관계로 상대를 이끌 수 있습니다. 웃는 얼굴로 여러분의 이력서를 더욱 친근감 있게 만들면 어떨까요?

*당신의 얼굴은 항상 웃는 표정인가?

*구성원 중에서 가장 친근감을 주는 얼굴은 누구인가?

웃는 얼굴은 햇빛과 같이 친근감을 준다

-위게너 벨틴

경청(傾聽)이 가장 확실한 대화의 비결

상담의 비결이 있다고 생각하십니까? 고급스런 말솜씨, 지식, 열린 마음, 칭찬 등 여러 가지가 있겠죠. 그러나 상대방과 상담을 하는 데 별다른 비결이나 기술 같은 것은 없는 듯합니다. 단지 상대방의 이야기에 귀를 기울이는 것이 가장 큰 비결이죠. 어떤 아첨이나 칭찬도 상대방의 이야기에 귀를 기울이는 것보다 더 큰 효과를 발휘할 수는 없습니다. 상담의 비결, 말하는 것이 30이라면 듣는 것이 70일 때 성공의 확률도 그만큼 높을 것입니다.

*평소 상담할 때 듣는 것과 말하는 것의 비율은 어떤가?

*내가 말을 많이 하면 상대방이 좋아할까?

상대방과 상담을 하는데 별다른 비결 같은 것은 없다.

그것은 단지 **상대방의 이야기에 귀를 기울이는 것**이다.

어떤 아첨과 칭찬도 이보다 더 큰 효과를 발휘할 수는 없다.

-찰스 W. 엘피어트

말하기와 듣기, 지식과 지혜의 차이

지식과 지혜의 차이에 대하여 어떻게 생각하십니까? 말을 한다는 것은 나의 생각과 지식을 남에게 전달하는 과정입니다. 그러나 경청은 상대의 이야기를 듣고 분석하며 그에게 경험을 나누어 주는 지혜의 영역입니다. 따라서 지식이 풍부하여 말을 잘하는 사람을 부러워할 필요는 없습니다. 그들의 이야기를 들어주는 경청이야말로 지식을 넘어 지혜로운 사람의 미덕이기 때문입니다.

*여러분은 말을 잘하는 사람인가, 경청을 잘하는 사람인가?

*여러분은 지식을 키우고 싶은가, 지혜를 키우고 싶은가?

경청은 나의 경쟁력

말하는 것은 지식의 영역이며
경청은 지혜의 특권이다.

-올리버 웬델 홈스

적을 없애려면 친구로 만들면 된다

"적을 없애는 방법은 친구로 만드는 것이다."라고 에이브러험 링컨은 말했습니다. 링컨은 자신에게 험담을 하며 반대하던 사람들을 모두 각료로 임명하여 친구로 만들었다고 합니다. 100명의 친구보다 1명의 적이 더 무서운 것입니다. 불필요하게 적을 만들면 언젠가 부메랑이 되어 다시 돌아오게 마련입니다. 나에게 가장 비판적인 사람이 누구인지를 찾고 그들에게 먼저 손을 내미십시오. 1명의 적을 우호적으로 만들면 100명의 친구가 생기는 것입니다.

*우리(나)에게 가장 비판적인 사람은 누구인가?

*우리(나)는 그 비판적인 사람에게 어떤 존재인가?

적을 없애는 방법은 친구로 만드는 것이다.

-에이브러험 링컨

조직 내의 올바른 의사소통

조직 내에서 업무에 대해 지시를 받거나 지시를 할 경우가 있습니다. 때로는 내용이 명확하게 전달되지 않아 일을 처리한 후에야 의사소통이 잘못되었다는 것을 알 때도 있죠. 업무를 지시할 때는 명확하게 지시하는 것도 중요하지만 올바르게 듣는 것 또한 중요합니다. 조직 내의 의사소통, 명확하게 지시해야만 올바르게 실행할 수 있습니다.

*업무를 지시할 때 6하 원칙에 따라 지시하고 있는가?

*지시를 받을 때 6하 원칙에 따라 지시를 받는가?

명확하게 지시해야 올바르게 실행할 수 있습니다.

세상에서 가장 현명한 사람

세상에서 가장 현명한 사람은 어떤 사람일까요? 탈무드에서는 "모든 사람으로부터 배울 수 있고, 남을 칭찬하며, 자신의 감정을 조절할 수 있는 사람이다."라고 합니다. 아무리 지식이 충만한 사람이라 할지라도 배움에는 끝이 없습니다. 항상 열린 자세로 행동하며, 칭찬할 일이라면 진심을 담아 상대에게 칭찬할 수 있어야겠습니다.

*주변에 현명하게 처신하는 사람들이 있는가?

*현명한 사람들의 공통점은 어떤 모습인가?

세상에서 가장 현명한 사람은

모든 사람으로부터 듣고 배울 수 있는 사람이고
남을 칭찬하는 사람이고
자신의 감정을 조절할 수 있는 사람이다.

–탈무드

칭찬은 조직을 살리고 비난은 에너지를 죽인다

상사로부터 칭찬을 받았을 때와 비난을 받았을 때를 기억해 보겠습니다. 성과는 충분하지 못했지만 칭찬을 받았을 때는 미안한 마음과 함께 앞으로 더욱 열심히 해야겠다고 생각했을 것입니다. 반대로 최선을 다했지만 비난을 받았을 때는 내 노력에 대한 대가를 먼저 생각하며 때로는 이유를 다른 곳에서 찾으려고 할 것입니다.

칭찬은 고래도 춤추게 한다는 말이 있듯이 칭찬은 조직 구성원에게 에너지를 넘치게 하고, 비난은 에너지를 죽이는 결과를 만들어냅니다. 우리 조직의 칭찬 문화는 어떻습니까?

*나는 칭찬하는 사람인가, 비난하는 사람인가?

*비난 받은 사람의 기분은 어떨까?

칭찬은 에너지를
솟게 하고,

비난은 에너지를
죽인다

대화는 서로 이야기하는 것이고,
소통은 상대방을 이해하는 것이다.

대화(dialogue)가 마주 대하여 서로 이야기를 주고받는 것이라면 소통(Communication)은 막히지 아니하고 뜻이 서로 잘 통하여 오해가 없음을 의미합니다. 조직 내에서의 대화도 중요합니다. 그러나 서로 마음이 통하지 않는 대화는 복잡한 조직 구조와 성과를 추구하는 조직의 생리를 생각하면 올바른 소통이라 할 수 없습니다.

따라서 상호 이해와 공감으로 서로를 존중하고 배려하는 마음이 있어야 진정한 토론문화를 이룰 수 있을 것입니다.

*나와 가장 잘 통하는 사람은 누구인가?

*나의 소통방식은 올바른가?

대화는 서로 이야기하는 것이고,

소통은 상대방을 이해하는 것이다.

협업(collaboration), 함께 하면 성공한다

'작은 물방울이라도 끊임없이 떨어지면 결국 돌에 구멍을 뚫는다.'는 뜻으로 수적천석(水滴穿石)이란 말이 있습니다. 한 방울 한 방울 떨어지는 물이 모여 시냇물이 되어 강을 이루고 바다로 흘러가듯이 작은 정성이라도 모이면 큰 성과를 이룰 수 있습니다. 개개인이 모여 팀을 이루고 팀이 모여 조직을 이루듯 우리의 힘이 합쳐지면 아무리 힘든 시기라도 걱정 없이 헤쳐 나갈 수 있습니다. 함께하면 성공합니다.

*우리는 팀워크를 바탕으로 한 협업을 통하여 함께하고 있는가?

*협업을 위하여 여러분이 해야 할 일은 무엇일까?

Simply, Easily & Completely!
2016년 8월 1일(월)~8월 7일(일)
모이면 시작되고
함께 하면 성공한다
1566-6043 www.e-poster.co.kr

소통의 제1법칙

상대방이 무슨 말을 하고 있는지 잘 들리세요? 올바른 소통은 상대방의 이야기를 잘 경청(傾聽)하는 데서부터 시작된다고 합니다. 그러나 대다수는 자신이 듣고 싶은 말만 들으려는 특성이 있습니다. 듣기 싫은 말을 자동으로 걸러낸다든지 기억하려 하지 않게 되어 오해를 사는 경우도 많습니다. 따라서 상대가 내 말을 어떻게 듣고 있는지 확인할 필요가 있습니다. 소통은 내가 무슨 말을 했느냐가 중요한 것이 아니라 상대방이 무슨 말을 들었느냐가 더 중요하기 때문입니다.

*평소 자신의 경청 습관은 어떠한가?

*상대가 내 말을 잘 이해하지 못하면 어떻게 하는가?

내가 무슨 말을 했느냐가 중요한 것이 아니라 상대방이 무슨 말을 들었느냐가 중요하다.

-피터 드러커

사람의 품격은 입에서 나온다

일부 젊은이들의 대화를 들어보면 정말 낯 뜨거울 때가 한두 번이 아닙니다. 듣기에도 험한 말을 아무렇지도 않게 내뱉는데 아무리 가까운 친구 사이라 할지라도 기본적인 예절이 있습니다. 대화에는 그 사람의 품격이 나타납니다. 입(口) 3개가 모이면 품(品)자가 됩니다. 이는 사람의 품격은 입에서 나온다는 뜻으로 말의 중요성을 설명하고 있습니다. 여러분의 품격을 표현하는 말. 어떻게 사용하고 계십니까?

*여러분의 평소 대화 습관은 어떤가?

*주변에 품격 있게 말을 잘하는 사람은 누구인가?

입(口)이 3개 모이면 품격(品)이 된다.

品

사람의 품격은
입에서 나온다는 뜻으로
말은 행복을 여는
중요한 열쇠다.

사람의 향기는 만 리를 간다

꽃은 보는 것만 아름다운 것이 아니라 좋은 향기가 있어 많은 사람들이 좋아합니다.

사람에게도 향기가 있으며 좋은 향기는 만리를 간다고 합니다.

공손한 언어, 상큼한 미소 그리고 올바른 행동…….

여러분에게는 어떤 향기가 있습니까?

*나는 어떤 향기를 가지고 있을까?

*아름다운 향기가 있는 사람은 누구인가?

사람의 향기는 만리를 갑니다.

공손한 언어

상큼한 미소

올바른 행동

긍정적인 생각으로 세상과 소통하라

최근 30년간 사람들의 생활에 가장 큰 변화를 가져온 것으로 개인용 PC, 이메일, 와이파이, 그리고 휴대전화 등을 들 수 있습니다. 이들의 공통점은 정보통신의 도구로서, 이러한 도구를 통하여 새로운 정보를 만들고 가공하며 공유하고 있다는 사실입니다. 흔히 지금을 지식과 정보의 시대라고 합시다. 인간은 사회적 동물이며 사회에서 성장하고, 소통하고, 공유할 수 있어야 합니다. 흔히 한국 사회에서는 3.6명만 거치면 모두가 알게 된다고 합니다. 급속하게 늘어난 정보와 함께 인적 네트워크 또한 매우 중요한 사회적 자산입니다. 언제까지 눈으로만 보시겠습니까? 마음의 문을 열고 더 큰 세상과 소통하십시오.

긍정적인 생각으로 마음의 문을 열면 세상이 보입니다.

*나는 사회와 어떻게 소통하고 있는가?

*나를 어떻게 바깥세상에 보여주고 있는가?

Simply, Easily & Completely!
2016년 12월 5일(월)~12월 11일(일)

의사소통에서의 착각

목표 달성에 있어 구성원 간의 원활한 의사소통은 무엇보다 중요한 요소입니다. 피라미드 구조에서 의사소통은 종적(縱的) 의사소통이며 프로세스 관점의 의사소통은 횡적(橫的) 의사소통입니다. 달리 말하면 종적 의사소통은 회사가 원하는 소통 방식이며, 횡적 의사소통은 고객이 원하는 소통 방법입니다. 그러나 이렇게 중요한 의사소통에 있어 더 큰 문제는 서로의 의사소통이 잘 되고 있다고 착각하는 것입니다.

*여러분의 소통 방법에는 문제가 없는가?

*우리 조직은 종적 소통 방법과 횡적 소통 방법 중 어떤 것을 더 중요하게 생각하는가?

Simply, Easily & Completely!
2017년 1월 16일(월)~1월 22일(일)
이쪽으로 와!
의사소통에 있어 가장 큰 문제는 서로 의사소통이 잘 되었다고 착각하는 것이다.
-버나드쇼
알았어. 기다릴께~
☎ 1566-6043 www.e-poster.co.kr

"늘 고마워!" "감사합니다!"

오늘도 치열한 삶의 현장에서 성과를 얻기 위하여 하루를 살아가고 계신가요? 잠시 일손을 멈추고 동료들을 바라보세요. 그리고 먼저 다가가서 인사를 나누세요.

"늘 고마워!"

"선배님, 감사합니다."

인사는 인간관계의 시작이며 상대를 존중하고 배려하는 마음의 표현입니다.

*지금 하던 일을 멈추고 인사를 하세요!

*여러분이 먼저 다가가서 인사를 나누세요!

늘 고마워~
자네에게
하고 싶었던
말이야

잘 듣는 것이 가장 확실한 대화 스킬

대화를 잘하는 사람들이 있습니다. 그들은 특유의 화법과 지식으로 많은 사람을 이끌고 있는 것으로 보이지만, 실제 그들이 가지고 있는 최고의 스킬은 상대의 이야기를 잘 듣는다는 것입니다. 말이 혼자서 일방적으로 진행하는 것이라면, 대화는 상대의 이야기를 듣는 데서부터 시작합니다. 그래서 듣기는 대화의 열쇠라고 합니다.

*말과 대화의 차이점을 이해하고 있는가?

*여러분은 말을 하고 있는가, 대화를 하고 있는가?

Simply, Easily & Completely!
2017년 6월 12일(월)~6월 18일(일)

듣기는 대화의 열쇠이다.

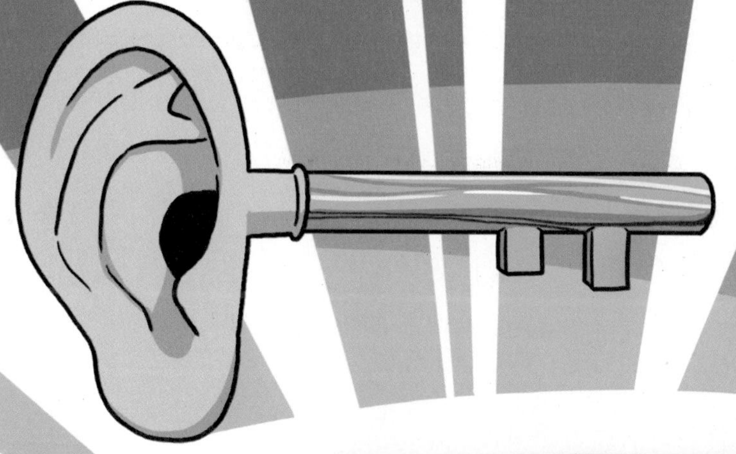

원청회사와 협력회사의 행복한 공존

원청회사와 협력회사는 어떤 관계입니까? 일방적인 지시와 복종을 강요하는 상하관계로 생각한다면 여러분의 회사는 미래가 없습니다. 원청회사는 협력회사와 성과를 공유하며 동반자라는 인식이 있어야만 지속 가능한 성장을 보장할 수 있습니다.

다양한 리스크로 불확실성이 고조되는 경영 환경에서 우리 기업을 지킬 수 있는 것은 군림이 아니라 협력입니다.

*우리는 원청회사인가, 협력회사인가?

*여러분은 군림하고 있는가, 협력하고 있는가?

Simply, Easily & Completely!
2017년 6월 26일(월)~7월 2일(일)
원청회사와 협력회사
그들은 갑을 관계가 아니라
지속적인 성장을 위한 동반자 관계입니다.
원청회사
협력회사

고객을 행복하게 맞이하는 미소 훈련법

고객과의 첫 만남, 어떻게 준비하시겠습니까? 물론 경쟁사를 뛰어넘는 좋은 제안이 우선이 될 수 있겠으나 좋은 만남은 미소와 음성에서 시작됩니다. 상대방이 호감을 느낄 수 있는 미소와 음성은 상대의 마음을 열게 할 수 있는 가장 큰 자원입니다. 여러분의 경쟁력을 키워줄 수 있는 미소와 음성, 미소 훈련법을 통하여 호감 가는 얼굴, 밝고 건강한 표정을 만들어보시기 바랍니다.

*미소 훈련법을 실천에 보았는가?

*그럼 지금부터 미소 훈련법을 따라 해 보자!

미소 훈련법

고객과의 모든 만남은 미소와 음성으로 시작된다

눈을 지그시 감았다
세게 감았다를 반복한다.

눈동자를 상하좌우로
움직여 본다.

눈썹을 위, 아래로 움직여
이마와 눈 근육을 풀어준다.

입을 조금 벌린 다음
턱을 좌우로 움직인다.

냄새를 맡는 듯한 표정을
만들어 코 주위의 근육도
풀어준다.

볼 근육을 풀어주기 위해
입안 가득 공기를 넣은 상태로
역시 좌우상하로 움직여 본다.

사람의 첫 인상인 인사의 힘

인사는 인간관계의 시작이며 예절의 기본입니다. 따라서 인사는 그 사람의 첫인상이라고 할 수 있습니다. 속담에 "웃는 사람에게 침 못 뱉는다."라는 말이 있듯이 밝게 대하는 사람에게는 그 사람의 허물을 모두 덮어줄 수 있는 힘이 있습니다. 현대와 같은 경쟁 사회에서는 인간 내면에 서로 간의 공격성이 있다고 합니다. 그러나 상대방에게 먼저 인사를 하게 되면 상대방의 공격성을 누그러뜨릴 수 있습니다.

*여러분은 인사를 먼저 하는 사람인가, 먼저 받는 사람인가?

*가까운 사람에게 먼저 다가가서 인사를 나누면 어떨까?

Simply, Easily & Completely!
2017년 9월 25일(월)~10월 1일(일)

인사는 인간관계의 시작이며, 예절의 기본

☎ 1566-6043 www.e-poster.co.kr

칭찬은 천둥처럼 듣고, 비난은 속삭임처럼 들어라

누군가 칭찬을 하면 고맙다, 감사하다는 말보다 지나치게 겸손한 표정으로 나를 낮추는 경우가 많은 것 같습니다. 그러나 부정적인 말을 듣는 순간 발끈하여 바로 맞대응하는 경우가 있는데 부정적인 말은 왜 이리도 크게 들릴까요?

물론 말하는 사람도 중요하겠지만 듣는 방법도 중요한 것 같습니다. 듣기 싫은 말이라 할지라도 나에게 주는 소중한 충고와 격려까지도 비판과 부정적인 말로만 들린다면 더 이상 나에게 발전의 기회는 없습니다. 이렇게 바꿔보면 어떨까요? 칭찬은 천둥처럼 듣고, 부정적인 말은 속삭임처럼 들으세요.

*여러분은 동료들에게 칭찬을 잘하는가?

*비난을 듣는 사람의 마음은 어떨까!

왜...

우리는 칭찬은 속삭임처럼 듣고,
부정적인 말은 천둥처럼 듣는가?

당신은 생긴게 왜 그래??

8초면 인생이 바뀔 수도 있다

첫인상을 결정짓는 시간은 8초. 그런데 한 번 굳어진 첫인상이 바뀌는 데는 60번 이상 만남이 있어야 한다고 합니다. 첫인상을 결정짓는 요소로는 외모와 표정, 목소리, 그리고 인격이라고 하는데 그 중에서 가장 중요한 것은 외모와 표정이라고 합니다.

여러분의 첫인상은 어떻습니까? 8초의 짧은 시간으로 누군가에게 좋은 인상을 남길 수도 있고 그렇지 않을 수도 있습니다. 8초면 내 인생이 바뀔 수도 있다는 이야기입니다.

*여러분의 첫인상은 어떻다고 생각하는가?

*첫인상을 바꾸기 위해 어떤 노력을 하고 있는가?

Simply, Easily & Completely!
2018년 1월 15일(월)~1월 21일(일)

8초...
첫인상을 결정짓는 시간

주먹을 쥐고 있으면 악수를 할 수가 없다

누군가 나에게 호의를 가지고 다가오는데 지나치게 경계하는 경우는 없습니까? 이는 상대방을 믿지 못하는 것뿐 아니라 자기 자신에 대해서도 마음의 여유가 없는 것입니다.

인도의 정신적 지도자 간디는 "내가 주먹을 쥐고 있으면 악수를 할 수가 없다."라고 했습니다. 열린 마음으로 상대에게 먼저 다가가서 손 내미는 것이 소통의 시작이 아닐까요?

*소극적인 자세와 긍정적 자세의 차이점은 무엇일까?

*긍정적 자세는 어떤 이점이 있을까?

내가 주먹을 쥐고 있으면 악수를 할 수가 없다. –간디

섬들은 혼자 같지만 바다 속에서 서로 몸을 기대고 있다

조직 내에는 많은 부서(팀)가 있으며 각자 역할과 책임이 있습니다. 맡은 직무에 대하여 최선을 다하는 것도 중요하겠지만 지나치게 개인(직무) 중심으로 일처리를 하다 보면 조직의 최종 성과물이 나오지 않는 경우가 많습니다. 구성원 각자의 직무도 중요하겠지만 조직은 개인이 아니라 조직의 성과로 성장하는 것입니다.

바다에 떠 있는 섬들이 혼자 같지만 바다 속에서는 서로 몸을 기대고 있는 것과 같이 나 또한 조직의 큰 틀 안에서 서고 기대고 협력하는 구성원입니다.

*조직은 나에게 어떤 성과를 기대한다고 생각하는가?

*나의 성과물을 필요로 하는 부서/개인은 누구인가?

섬들은 혼자 같지만
바닷속에서
서로 몸을 기대고 있다.

인사를 잘하면 인상이 좋아지고,
인상이 좋아지면 인생이 풀린다

사람의 얼굴에는 80여 개의 근육이 있는데 그 중 찡그리는 데는 72개, 웃는 데는 12개가 사용된다고 합니다. 인사를 잘하면 12개의 근육이 좋은 인상을 만들게 되며 많은 사람으로부터 호감을 얻게 되어 인생이 좋아진다는 것입니다. 여러분은 어떤 근육을 사용하시겠습니까?

*나는 지금 웃고 있는가, 찡그리고 있는가?

*가까운 분들과 웃는 얼굴로 인사를 나누자!

인사를 잘하면
인상이 좋아지고,

인사
상

인상이 좋아지면
인생이 좋아진다.

네트워크 시대, 낯선 사람 효과

"여러분은 성공이 자신의 결정과 노력 여하에 달려 있다고 생각합니까?" 『낯선 사람 효과』의 작가 리처드 코치의 질문입니다.

우리는 매일매일 많은 사람과 만나고 교감합니다. 그 중에는 두 번 다시 만나지 않을 것으로 생각했던 사람을 전혀 생각하지 못한 곳에서 만나기도 합니다. 지금은 가족이나 친한 친구 등 강한 연결이 주도했던 시대를 지나 새로운 사람들과 다양한 수단을 통하여 관계를 형성하는 네트워크 시대입니다. 기회는 약한 연결을 타고 찾아옵니다. 오늘 여러분이 건넨 명함 한 장이 훗날 새로운 기회가 되어 찾아올 것입니다.

*많은 사람들과의 만남을 어떻게 기억하는가?

*지금 여러분의 성공은 어떻게 이루어졌는가?

Simply, Easily & Completely!
2018년 8월 27일(월)~9월 2일(일)

기회는 약한 연결을 타고 찾아온다.

-리처드 코치

제5장

불확실성 시대에 대처하자

순탄할 때는 주의하고, 어려울 때는 인내한다

"순탄할 때는 주의해야 하고 어려울 때는 인내해야 한다."라는 영국 속담이 있습니다. 순탄할 때는 철저한 대비와 훈련을 통하여 언제 닥칠지 모르는 위기상황을 준비해야 하며, 위기가 닥쳤을 때는 지혜와 인내를 통하여 슬기롭게 위기를 극복해야 한다는 말입니다.

지금은 온 국민이 합심하여 지혜를 모아야 할 때입니다. 그와 더불어 명확한 원인분석과 함께 책임소재를 철저히 파악하고 새로운 시스템을 통하여 또 다른 위기에 대비해야 합니다.

*우리에게 어떠한 위기 상황이 발생할 수 있는가?

*이러한 위기 상황에 대비한 예방대책은 수립되고 있는가?

순탄할 때는
주의해야 하고,

어려울 때에는
인내해야 한다

– 영국속담

불확실성 시대의 변화 관리

경영환경이 하루가 다르게 변화고, 갈수록 불확실성이 증가하고 있습니다. 조직의 크기와 과거의 성과만으로는 변화하는 경영환경에 적응할 수 없습니다. 미래를 내다보는 시대정신과 상황을 빠르게 예측하는 민첩성이야말로 조직의 미래를 이끌어갈 수 있는 길입니다.

규모보다는 민첩성, 과거의 성과보다는 미래를 내다보는 혜안이 필요할 때입니다.

*변화하는 경영환경을 이해하기 위하여 어떤 노력을 하고 있는가?

*나는 큰 물고기인가, 빠른 물고기인가?

큰 물고기가
작은 물고기를 잡아 먹는 것이 아니라
빠른 물고기가
느린 물고기를 잡아 먹는 것이다
-존 챔버스

위기를 효과적으로 관리하면 기회가 된다

타이레놀로 유명한 존슨 앤드 존슨은 1982년 누군가 독극물을 투여해 소비자들이 목숨을 잃은 사건이 발생하였습니다. 이러한 위기에 존슨 앤드 존슨은 타이레놀 캡슐을 신속히 리콜(Recall)하였으며 절체절명(絶體絶命)의 위기에 어떠한 희생을 감수하더라도 고객의 신뢰를 찾으려고 노력하였습니다. 이러한 노력으로 잃어버렸던 시장을 되찾고 고객들의 사랑을 받는 훌륭한 기업으로 성장하였습니다. 위기를 효과적으로 관리하면 기회가 될 수 있습니다.

*우리 조직은 위기관리에 대한 대응 시나리오가 있는가?

*구성원들은 대응 시나리오를 이해하고 정기적인 훈련에 참여하는가?

위기는 위험한 기회이다.

리스크(Risk)와 불확실성에 대처하는 법

불확실성이 최고조로 증가된 사회에서 조직은 다양한 내·외부 리스크(Risk)에 직면하고 있습니다. 국제표준화 기구(ISO)에서는 리스크를 '불확실성의 영향'으로 정의합니다. 따라서 조직은 이러한 불확실성에 대한 영향을 최소화하기 위하여 새로운 지식과 정보를 통하여 리스크 제거 활동을 진행하고 있습니다. 또한 각 구성원들은 이러한 불확실성(Uncertainty) 시대에 대처할 수 있도록 개인의 역량을 키워야 합니다. 그것은 미래에 대한 자신감과 열정을 바탕으로 협력하고 소통하며 서로를 신뢰하는 것입니다.

*불확실성을 예측하기 위하여 어떤 노력을 하고 있는가?

*불확실성을 극복하기 위한 여러분의 역량은 무엇인가?

Simply, Easily & Completely!
2016년 4월 4일(월)~4월 10일(일)
불확실성(Uncertainty) 시대를 대처할 수 있는 우리의 역량은?
패기
소통
협력
☎ 1566-6043 www.e-poster.co.kr

간절한 절박함이 목표를 이룬다.

변화(變化)란 세상에 존재하는 물체의 형상, 성질 등의 특징이 달라지는 것을 의미합니다. 우리 조직은 창립 이후 늘 변화 속에서 성장해 왔고 또 변화를 통하여 앞으로의 목표를 달성할 것입니다. 그런데 이러한 변화를 방해하는 요소가 있습니다. 그것은 오랜 경험 속에서 만들어진 고정관념으로, 이는 변화를 방해하고 목표달성을 저해하는 요소입니다. 따라서 고정관념으로부터의 탈피와 목표달성을 위한 간절한 절박함을 통하여 원하는 목표를 달성할 수 있어야겠습니다.

*변화를 저해하는 나의 고정관념은 무엇인가?

*설정된 목표를 향한 간절한 절박함이 있는가?

Simply, Easily & Completely!
2016년 4월 11일(월)~4월 17일(일)
변화는 간절한
절박함에서 온다
☎ 1566-6043 www.e-poster.co.kr

Good to Great, 좋거나 위대하거나

최근 새로운 기술과 아이디어로 잘 나간다는 기업들을 보곤 합니다. 실제 종업원에 대한 복지와 연봉 수준으로는 어떤 기업과도 비교할 수 없을 정도의 대우가 따르는 것이 사실입니다. 그러나 이런 기업은 좋은 기업이라고 말할 수 있지만 위대한 기업이라고 이야기하지는 않습니다. 짐 코린스는 그의 저서 『Good to Great』를 통해 위대한 기업들의 특징을 잘 서술하고 있습니다.

위대한 기업은 자기개발과 직원화합 그리고 가족행복을 통해 성과를 달성할 수 있는 기업입니다. 좋은 기업은 위기를 만나면 모두가 떠나겠지만 위대한 기업은 위기를 극복할 수 있는 저력을 가지고 있습니다. 나는 언젠가 세계에서 가장 위대한 기업 중 하나를 바라보면서 '나도 저기서 일한 적이 있었지.' 하고 말할 수 있는 날이 오길 바랍니다.

*우리 회사는 좋은 기업인가, 위대한 기업인가?

*위대한 기업이 되기 위해 여러분은 무엇을 하고 있는가?

똑같은 돌이라도 약자에게는 걸림돌이 되고, 강자에게는 디딤돌이 된다

"위기가 기회다."라는 말이 있습니다. 대부분의 사람들은 위기를 맞이하면 절망부터 먼저 생각하는 경우가 있습니다. "길을 가다 돌이 나타나면 약자는 걸림돌이라 말하고 강자는 디딤돌이라 말한다."고 합니다. 위기를 기회로 만드는 사람이 있는 반면 위기가 나타나면 피하면서 그 시기만 모면하려는 사람도 있습니다. 우리에게 위기는 새로운 도전과 목표를 달성하게 하는 디딤돌이 될 수 있어야겠습니다.

*우리 조직에 위기가 나타난다면 어떤 것일까?

*위기를 극복할 수 있는 우리 조직의 역량은 어느 정도일까?

길을 가다 돌이 나타나면

약자는 걸림돌이라 말하고

강자는 디딤돌이라고 말한다

위기가 기회이다

-토마스 칼라일

준비된 조직에게만 기회가 찾아온다

위기(危機)란 위험(Danger)이란 말과 기회(Opportunity)라는 말의 합성어입니다. 따라서 위기는 또 다른 기회일 수 있으며, 늘 동시에 찾아온다고 합니다. 그러나 어떤 사람에게는 기회보다는 위기가 더 빨리 올 수 있는데, 그것은 위기에 대한 사전 대응과 준비 부족 때문입니다. 우리는 늘 새로운 기회를 기다리고 있습니다. 그러나 준비된 조직에게는 기회가 찾아오겠지만, 준비 없이 기다리는 조직에게는 위기가 먼저 찾아올 것입니다.

*기회를 잡기 위하여 어떻게 준비하고 있는가?

*위기가 찾아온다면 어떻게 대처해야 할까?

기회는 생각보다 늦게 오고
위기는 생각보다 빨리 온다.

비즈니스의 리스크(Risk), 어떻게 관리할까

리스크는 "목표에 대한 불확실성의 영향"으로 정의하고 있습니다. 미래에 바라는 것을 이루는 데 장애가 될 수 있는 요인. 다시 말하면 목표 달성에 있어 위험요소가 무엇인지 찾고 해결하는 것이 리스크 관리라 할 수 있습니다. 그럼 우리 조직의 비즈니스를 중단시킬 수 있는 리스크(Risk)는 무엇일까요? 지진, 화재, 보안사고, 금융, 사회재난 등 어떠한 리스크에 대해서도 대응할 수 있는 철저한 대응 계획과 훈련이 리스크를 극복할 수 있는 방법입니다. 이러한 위기 상황에서 여러분 개개인의 역할은 무엇인가요?

*우리 조직에는 어떤 리스크가 있을까?

*리스크에 대응할 수 있는 계획은 무엇인가?

Simply, Easily & Completely!
2016년 11월 14일(월)~11월 20일(일)

"우리의 비즈니스를 중단시킬 수 있는 리스크(RISK)는 무엇인가?"

사회재난

금융위기

화재

지진

BCP

보안사고

*BCP(business continuity plan/대응계획)

안전을 실천하는 인식, 인프라, 제도

삶의 최종 목적을 행복이라는 관점에서 봤을 때 행복을 한순간에 빼앗아 가는 것이 사고입니다. 최근 안전에 대한 관심과 함께 문화적인 접근에 대하여 논의되고 있으며 안전을 가능하게 하는 문화, 즉 안전문화는 안전을 실천하는 의식과 안전을 유도하는 제도, 그리고 안전을 가능하게 하는 인프라가 결합해 만들어내는 사회문화적 산물로 설명할 수 있습니다.

*삶의 최종 목표와 안전은 어떤 관계가 있을까?
*인식, 인프라, 제도 중에서 어떤 것이 가장 중요할까?

안전문화란?

안전에 관하여 근로자들이 공유하는
태도나 신념, 인식 및 가치관을 통칭한다.

어떤 상황이 진짜 위기인가?

나뭇가지 끝에 앉아 있는 참새는 불안한 나뭇가지 때문에 떨고 있지만 먹이를 찾고 있는 독수리가 뒤에 있다는 것을 알아차리지 못합니다. 우리는 지금을 위기라고 합니다.

그러나 그 위기는 어제도 위기였고, 내일도 위기일 수 있습니다. 왜냐하면 위기를 위기로 생각하지 않았기 때문입니다.

진짜 위기는 위기인데도 불구하고 위기인 줄 모르는 것이며, 이보다 더 큰 위기는 위기인 줄 알면서도 아무 것도 하지 않는 것입니다.

*지금 내 앞에 어떤 위기가 있는지 알고 있는가?

*이런 위기를 극복하기 위하여 어떻게 준비하고 있는가?

진짜 위기는 위기인데도 불구하고
위기인지를 모르는 것이
진짜 위기이다.

그것보다 더 큰 위기는 위기인 것을 알면서도
아무것도 하지 않는 것이 바로
더 큰 위기입니다.

위기 속에서 생존하고 번영할 수 있는 방법

복잡다단한 현대사회에서 위기는 매 순간 존재하며 언제, 어디서, 어떻게 올지 알 수 없으며 그 대상도 가리지 않습니다. 따라서 위기는 항상 존재하며 위기와 사는 법을 배워야 하고 위기 속에서 생존하고 번영할 수 있는 방법을 익혀야 합니다. 만약 위기가 오지 않을 것이라고 낙관하다가 막상 조그만 위기가 닥치면 상황에 좌절하고 불안과 혼란에 쉽게 휩싸이게 됩니다.

여러분이 방심하는 순간 위기는 여러분을 겨냥할 것입니다.

*예상하는 위기는 어떤 것이 있는가?

*위기에 대비하기 위한 방법은 무엇인가?

위기는 방심하는 사람만을 겨냥한다.

위험은 걱정 말아요!

위험이 걱정되시나요?

걱정하지 말아요!

우리 회사는 위험에 대응하기 위하여 최고경영자가 설정한 안전방침이 있으며, 매년 정기적인 위험성 평가를 통하여 위험을 제거하고 있잖아요!

또한, 당신을 보호하는 안전보호구가 비치되어 있으니 안심하셔도 됩니다.

다만, 위험은 언제든지 찾아올 수 있다는 사실만 기억해주세요.

*우리 회사의 위험관리는 어떻게 하고 있는가?

*여러분의 안전에 대한 역할과 책임은 무엇인가?

Simply, Easily & Completely!
2017년 7월 10일(월)~7월 16일(일)

걱정 말아요!

우리는 회사의 안전의지(안전방침)와
위험을 식별하는 방법(위험성평가)
그리고 나를 보호하는
안전보호구(PPE)가 있으니까요.

책임 있는 가장이 퇴근하는 모습

행복한 가정을 위해 가장으로서 해야 할 역할은 무엇일까요?

가정경제를 위하여 열심히 일하는 것도 중요하겠지만, 출근할 때 모습으로 귀가하는 것은 더 중요합니다. 아침에 현관을 나설 때 두 팔과 두 발 그리고 10개의 손가락으로 출근했다면 최선을 다해 열심히 일하고 안전하게 귀가하는 것입니다. 저의 아내는 제가 아침에 출근할 때 모습이 가장 멋있다고 합니다. 그래서 퇴근할 때면 흐트러진 몸이라도 다시 한 번 거울을 보게 됩니다.

책임 있는 가장은 출근할 때 모습으로 퇴근하는 사람입니다.

*책임 있는 가장은 어떤 모습일까?

*안전한 귀가를 위하여 어떤 노력을 하고 있는가?

책임있는 가장은?

출근할 때 모습으로 퇴근하는 것

위험(Danger), 아는 만큼 보인다

안전에 대한 사회적 인식이 변화하고 있습니다. 이러한 인식의 변화가 우리 사회에 문화로 정착되기 위해서는 위험을 바라보는 눈이 필요하며 이는 위험을 알고 정확히 인지하는 데서부터 시작됩니다. 또한 안다는 것은 머리에 넣고 있는 단순한 지식이 아니라 행동으로 보여줄 때 비로소 알고 있다고 말할 수 있습니다.

아는 것과 실행은 하나이기 때문입니다.

*위험에 대하여 얼마만큼 알고 있는가?

*알고 있는 것을 얼마만큼 실천하고 있는가?

Simply, Easily & Completely!
2017년 8월 7일(월)~8월 13일(일)

함께 살아가야 할 4차 산업혁명

컴퓨터와 인터넷 기반의 지식 정보혁명으로 일컫는 제3차 산업혁명을 넘어 사물 인터넷(IOT)과 가상 물리시스템(CPS)이 인공지능을 기반으로 사람, 사물 그리고 공간이 초(超)연결, 초(超)지능화하여 새로운 산업구조를 만들어가는 제4차 산업혁명의 시대가 우리 앞에 펼쳐졌습니다. 아직은 생소하고 먼 미래의 이야기로 들릴 수 있으나 우리는 이미 4차 산업혁명의 공간 안에서 생활하고 있습니다. 제4차 산업혁명, 이제는 생소한 것을 넘어 함께 살아야 할 대상이 되었습니다.

*4차 산업혁명, 어떻게 대비하고 있는가?

*4차 산업혁명에 필요한 역량은 무엇일까?

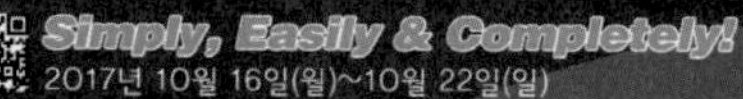

4차 산업혁명

디지털 기기와 인간, 물리적 환경의 융합에 위한 산업혁명

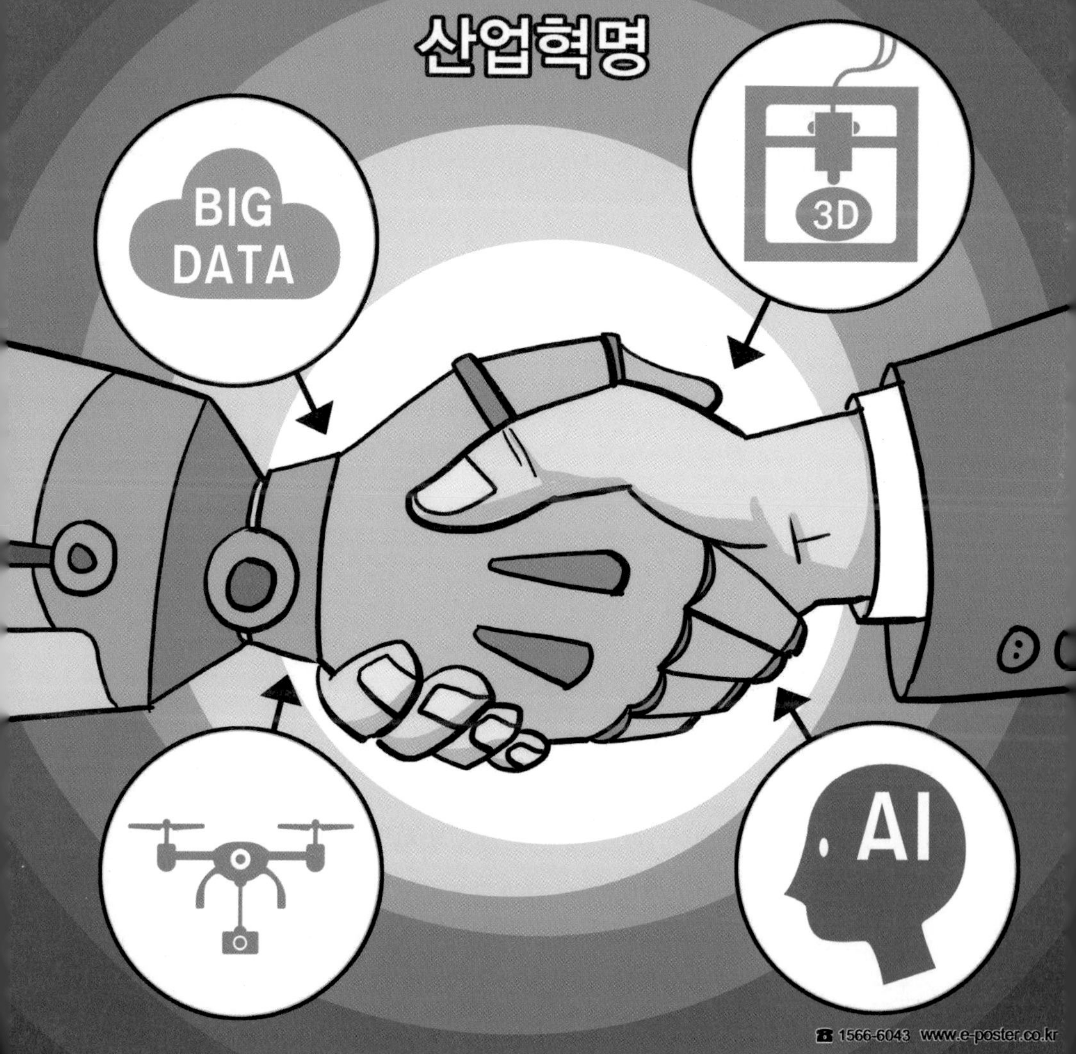

BIG DATA

3D

AI

4차 산업혁명이 가져오는 변화

디지털 기기와 인간의 물리적 환경의 융합에 의한 제4차 산업혁명 시대가 가져오는 변화는 어떤 것이 있을까요? 데이터, 로봇과 인공지능, 그리고 서비스 부분에서 혁신적 변화가 오고 있습니다. 생산의 주 요소가 설비에서 정보와 데이터로 전환되며, 공장 로봇 시대에서 사무 부문 로봇이 도입되고 현장 근로자 수가 급격히 감소하며 인공지능(AI)을 적용한 신지식인 시대로 변모하고 있습니다.

*4차 산업혁명 시대, 내 주변은 어떻게 변화할까?

*여러분은 4차 산업혁명에 어떻게 대비하고 있는가?

4차 산업혁명이 가져오는

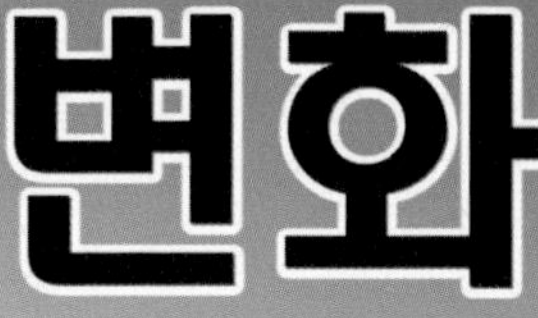

데이터 : 생산의 주 요소는 설비 대신 정보 및 데이터로 전환된다.

로봇과 인공지능 : 공장 로봇 시대에서 사무 부문 로봇이 도입된다.

서비스, 신지식 : 현장 근로자 수 감소, AI를 적용한 신지식인으로 변모한다.

4차 산업혁명 어떻게 대처할 것인가

18세기 증기기관 기반의 기계화 혁명을 시작으로 대량생산 체계를 이룩한 전기에너지 그리고 지식정보혁명을 가져다준 컴퓨터는 무엇을 할 것인가 하는 "What?"에 대한 혁명이라면 4차 산업혁명은 어떻게 할 것인가 하는 "How?"에 대한 혁명입니다. 그러면 4차 산업혁명을 준비하는 우리에게 필요한 역량은 무엇일까요?

첫째는 Data 분석 능력입니다. IOT를 통하여 수집된 빅 데이터를 어떻게 정보로 활용하느냐는 것입니다.

둘째는 감성을 기반으로 한 창의력과 문제 해결 능력입니다. 모든 것이 지능화되고 단순한 것은 인간의 영역에서 벗어나 기계와 로봇이 대신할 것입니다.

셋째는 협력과 의사소통입니다. 결국 인간이기에 협력해야 하고 인간이기에 부족한 부분을 채울 수 있는 주변과의 소통이 제4차 산업혁명 시대에 필요한 역량이 아닐까 생각합니다.

*4차 산업혁명으로 우리 생활은 어떻게 변모할까?

*4차 산업혁명에 필요한 역량은 어떻게 준비할까?

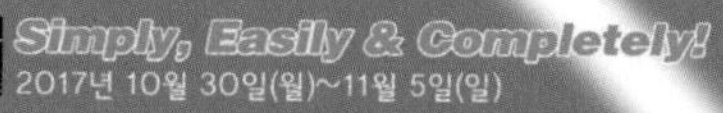

4차 산업혁명 시대의 필요 역량

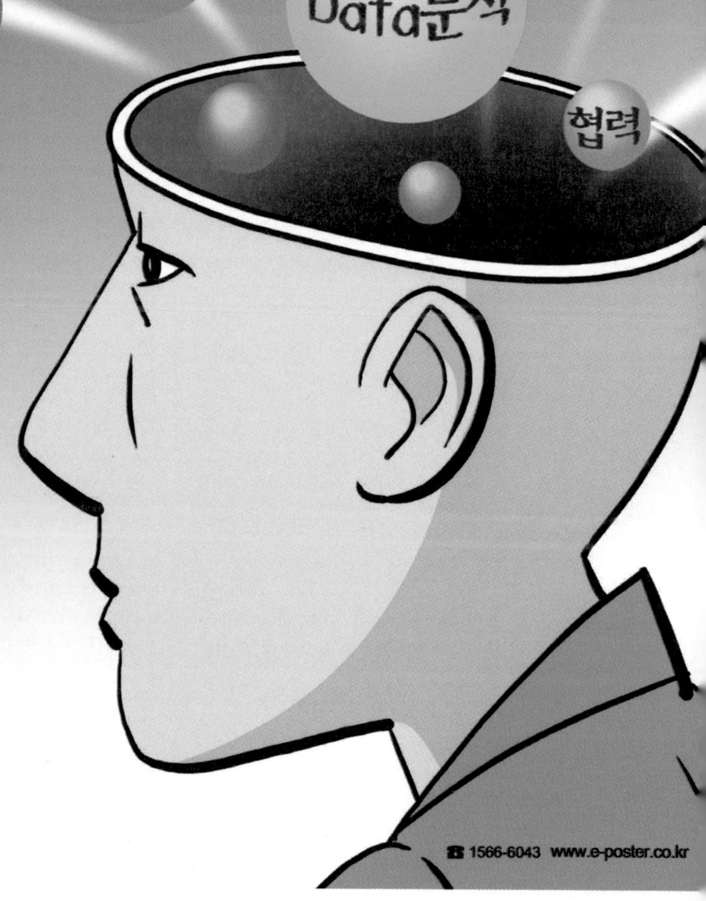

그레잇! 스튜핏!

여러분의 휴대폰 사용 습관 어떠신가요? 한 보험회사의 조사에 따르면 보행 중 스마트폰 사용 경험이 있는 사람이 95.7%에 달한다고 합니다. 또한 횡단보도에서 스마트폰을 사용하다 사고가 날 뻔했다고 답한 사람이 무려 21.7%에 달한다고 합니다. 보행 중 휴대폰 사용, 스튜핏~~! 휴대폰에게도 휴식이 필요합니다. 보행 중에는 휴대폰을 사용하지 말고 안전하게 보행하도록 합시다. 수퍼 울트라 그레잇~~!

*여러분의 휴대폰 사용습관은 어떤가?

*내 휴대폰에 휴식을 주면 어떨까?

Simply, Easily & Completely!
2018년 1월 8일(월)~1월 14일(일)

그레잇!

휴대폰에도
휴식을

스튜핏!

보행중
휴대폰 사용금지

조약돌이 주는 교훈

인생을 살아가며 크고 작은 위기를 맞이하게 됩니다. 사람에 따라 느끼는 감정이나 크기는 다르겠지만 대부분은 작은 위기를 극복하지 못해 더 큰 위험에 빠지는 경우가 많습니다. 사람들이 산에 걸려 넘어지지 않고 작은 조약돌에 걸려 넘어진다고 합니다. 조약돌을 밟고 산에 오르는 자는 정상의 기쁨을 맛볼 수 있지만 그렇지 않은 자는 조약돌에게 모든 책임을 떠넘길 것입니다. 이렇듯 작은 어려움을 극복하지 못하면 결코 큰일을 할 수 없습니다. 어떻게 해야 할까요?

*여러분에게 지금 어떤 어려움이 있는가?

*현재 어려움을 조약돌로 생각하고 과감히 밟고 넘어가면 어떨까?

사람은 산에 걸려 넘어지지 않는다.
사람들을 넘어지게 하는 것은
작은 조약돌이다.
그것을 밟고 넘어서라
그러면
산을 넘었다는 것을
알게 될 것이다.

-영국작가 코난도일

변화를 감지하고 미래를 준비하는 사람이 성공한다

세상에는 두 부류의 사람이 있습니다. 급변하는 경영 환경에서 세상의 변화를 두려워하는 사람과 변화를 느끼며 미래를 준비하는 사람입니다. 그런데 성공하는 사람의 공통점은 세상의 변화를 감지하고 미래를 준비하는 사람입니다.

*과거의 나는 잊으면 어떨까요?

*현재의 나를 통하여 미래를 준비하면 어떨까요?

Simply, Easily & Completely!
2018년 3월 5일(월)~3월 11일(일)
성공한 사람의 공통점은
뒤돌아 보면서
변화를 느끼는 것이 아니라
변화를 느끼면서
미래를 바꿀 준비를
하는 사람이다.
-관점Designer 박용후
1566-6043 www.e-poster.co.kr

불확실성을 확실하게 극복하는 방법

불확실성의 극복, 그것은 지식을 채우는 데서부터 시작됩니다. 현대 사회를 불확실성이 높은 사회라고 합니다. 불확실성은 어떤 사고나 그 결과 또는 발생 가능성에 대한 이해나 지식과 관련된 정보가 부족한 상태를 의미합니다. 미래에 발생할 불확실성을 없애기 위한 방법, 그것은 지식을 통하여 정보를 채우는 것부터 시작하여야 합니다.

*불확실성을 제거하기 위하여 어떤 노력을 하고 있는가?

*불확실성의 극복을 위해 여러분에게 필요한 지식은 어떤 것일까?

불확실성(uncertainty)

그것은 지식을 채우는 것에서 부터 시작됩니다.

지식

급류에는 얼굴을 비출 수 없다

바쁘게 살아가는 현대사회, 오직 미래의 목표만 바라보며 살아가고 있지는 않습니까? 급류에는 얼굴을 비출 수 없다고 했습니다. 아무리 바쁘게 살아가는 현대사회라 할지라도 현재의 나 자신을 돌아볼 여유는 필요한 것 같습니다. 미래는 오늘이 차곡차곡 쌓여 만들어지는 것이기 때문입니다.

*여러분에게 오늘은 어떤 날인가?

*내일은 오늘과 어떤 관계가 있을까?

급류에 얼굴을 비출 수 없다.

위험은 새로운 기회다

세상 모든 일에는 늘 위험(Risk)이 존재하고 있습니다. 위험하다는 이유로 배가 항구에 정박해 있으면 아무 일도 할 수 없습니다. 배가 바다에 나가는 그 자체가 위험한 것이지만 바다에 대한 정보와 위기 발생 시 대응할 수 있는 능력이 있다면 배가 항구에 정박해 있을 이유가 없습니다. 따라서 위험을 피한다고 능사는 아닙니다. 위험을 정확히 이해하고 충분한 정보를 가진다면 위험은 새로운 기회가 될 수 있습니다.

*배가 만들어진 이유는 무엇일까요?

*위험을 느꼈을 때 어떻게 행동하는가?

배는 항구에 있을 때 가장 안전하지만, 그것이 배가 만들어진 이유는 아닙니다.

– 파울로 코엘료, 순례자

세상의 변화를 느끼는 주인공은 자기 자신이다

세상의 변화를 감지하고 있나요. 하루가 다르게 세상은 바뀌고 있지만, 변화의 중심이 내가 아닐 경우에는 변화를 이해하지 못합니다. 주변의 변화를 느끼면서 감탄사만 늘어놓으실 건가요? 변화의 시대, 혁신의 선두에서 미래를 준비하는 사람이 되어야 하지 않겠습니까. 세상의 변화는 내가 달라졌다고 느꼈을 때부터 시작됩니다.

*세상의 변화를 감지하고 있는가?

*최근 나 자신이 변화한 부분은 무엇인가?

Simply, Easily & Completely!
2018년 7월 30일(월)~8월 5일(일)

세상의 변화는 내가 달라졌다고 느꼈을 때부터 시작되었다

제6장

고객 지향의 윤리와 철학을 갖추자

만약 고객이 옳지 않다면!

스튜 레오나드는 우유, 오렌지주스 및 커피 등을 취급하는 슈퍼마켓으로 일반 슈퍼마켓에서 취급하는 품목수의 약 15% 정도의 품목만 판매하고 있습니다. 그러나 연간 350만 명의 고객이 30km 이상 멀리 떨어진 곳에서도 찾아옵니다. 그것은 슈퍼마켓 입구에 세워져 있는 그들의 방침(Policy)과 절대 무관할 수 없습니다. 고객에 대한 그들의 방침(규칙)은 두 가지입니다.

규칙1. "고객은 항상 옳다(The customer is always right)."

규칙2. "만약 고객이 옳지 않다면 규칙1을 상기하라(If the customer is ever wrong, reread rule1)."

*내부 고객은 누구이며 어떻게 만족시키고 있는가?

*외부 고객은 누구이며 우리에게 무엇을 바라고 있는가?

만약 고객이 옳지 않다면!

규칙 1. 고객은 항상 옳다

규칙 2. 만약 고객이 옳지 않다면 규칙 1을 상기하라

-스튜 레오나드사

불만의 확산 시대

히노 가에코는 『입소문 경영』에서 '불만의 확산'에 대해 다음과 같이 소개하고 있습니다.

"불만을 느낀 고객의 오직 4%만이 회사에 불만을 토로한다. 반면 불만을 느낀 고객 한 사람은 11명의 사람에게 자신의 불쾌했던 경험을 이야기한다. 그리고 11명은 각각 5명의 다른 사람들에게 이 이야기를 전해 결국 67명이 그 기업에 대해 나쁜 이야기를 하게 된다."

최근 SMART 시대를 맞아 다양한 SNS 채널을 바탕으로 개인의 생각이 봇물처럼 퍼져가고 있는 이때 불만의 확산 속도를 역(逆)발상으로 활용할 수 있다면 새로운 기회가 될 수 있을 것으로 생각합니다.

*고객의 입장에서 우리 조직에 대한 불만은 어떤 것이 있을까?

*고객 불만 해소를 위하여 우리(내)가 할 수 있는 일은 어떤 것일까?

불만의 확산

불만을 느낀 고객의 오직 4%만이 회사에 불만을 토로 한다.
반면 불만을 느낀 고객 한 사람은 11명의 사람들에게
자신의 불쾌했던 경험을 이야기한다.
그리고 11명은 각각 5명의 다른 사람들에게 이 이야기를 전해
결국 67명이 그 기업에 대한 나쁜 이야기를 하게 된다.
-히노가에코 「입소문경영」

고객은 항상 현명하다

어떤 경우에도 고객은 현명합니다.

고객이란 나와 관계되는 사람으로 결국 나를 선택한 사람입니다. 그들의 속성은 늘 칭찬받고 존경받기를 원합니다. 그러나 그들은 나의 사소한 실수에도 실망하고 다른 곳을 찾아가는 속성이 있습니다. 따라서 친절한 직원은 고객만족을 두 배로 이어주지만 불친절한 직원은 그동안의 모든 친절을 수포로 돌아가게 합니다.

*우리(나)의 고객은 누구인가?

*우리의 고객은 무엇을 원하고 있는가?

고객은 항상 현명하다

한 명의 친절한 직원은 고객의 만족을 두 배로 이어주지만,

또 다른 직원의 불친절은 이를 모두 수포로 돌아가게 합니다.

1:10:100 원가의 법칙

서비스 부문에서 말콤 브리지 상을 수상한 페덱스 사에는 '1:10:100의 법칙'이라는 것이 있습니다. "불량이 생길 경우 즉각 고치는 데는 1의 원가가 들지만, 책임소재 추궁이나 문책이 두려워 이를 숨긴 채 기업의 문을 나서면 10의 원가가 들며, 이것이 고객 손에 들어가 클레임이 발생하면 100의 원가가 든다."는 법칙입니다. 어떤 일에든 문제가 있을 수 있습니다. 그러나 문제를 감추고 숨길 경우 결국 몇 배의 비용이 지불된다는 것을 알아야 합니다.

*실패에 대한 책임이 두려워 일을 회피한 적은 없었나?

*실패에 대한 두려움으로 끝까지 숨기고 있다면 결국 어떻게 될까?

페덱스사의
1:10:100의 법칙

불량이 생길 경우 즉각 고치는 데에는 1의 원가가 들지만,
문책이 두려워 이를 숨긴 채 기업의 문을 나서면 10의 원가가 들며,
이것이 고객 손에 들어가면 100의 원가가 든다는 법칙이다.

–페덱스

사소한 부주의로부터의 정보 보호

정보 유출로 인한 피해사례를 보면 사소한 정리 미(未)이행이 원인인 경우가 많습니다. 특히 책상 위에 방치된 업무자료, 컴퓨터 화면에 띄워놓은 주요 정보, 그리고 팩스, 복사기, 공개단말기 등 사용자가 지정되어 있지 않은 사무공간에서의 정보 유출이 심각합니다. 또한 회의 후 방치된 업무자료 역시 정보 유출의 시작입니다.

*회의 종료 후 자료의 공개범위를 결정하고 있는가?

*사무실 또는 팀 내 보안 담당자는 지정하고 있는가?

회의 후 방치된 업무자료,
정보유출의 시작입니다

나눔, 받는 기쁨은 짧고 주는 기쁨은 길다

민족 대이동이 있었던 설 명절이 지났습니다. 오랜만에 멀리 있는 일가친척을 만나 새해 인사를 나누며 가족의 정을 확인할 수 있었던 명절이지만 아직도 우리 주변에는 홀로 외롭게 살아가는 독거노인들이 많습니다. 누군가의 관심이 부족하고 외로움에 지친 이들에게 기쁨을 나눠 줄 수 있는 길은 없을까요?

"받는 기쁨은 짧고 주는 기쁨은 길다."고 했습니다. 나눔을 통해 기쁨이 배가되는 한 주가 되기를 기원합니다.

*주변에 홀로 살아가는 독거노인은 없는가?

*이들에게 기쁨을 나눌 수 있는 방법은 없을까?

받는 기쁨은 짧고
주는 기쁨은 길다.

늘 기쁘게 사는 사람은
주는 기쁨을 가진 사람이다.

회사생활이 즐거운 이유

당신의 회사생활은 어떻습니까?

아마도 직장인의 하루 일과 중 회사에서 생활하는 시간이 가장 깁니다. 회사생활이 즐거워야 하는 이유가 여기에 있습니다. 가장 많은 시간을 보내는 회사생활 가운데서 때로는 경쟁하고 성과를 만들어야 하는 책임이 있지만 존경하는 상사와 신뢰하는 후배 직원이 있다면 누구보다도 즐거운 회사생활이 될 것입니다.

그러기 위하여 먼저 존경받는 상사가 되십시오. 존경받는 상사는 책임을 질 줄 알고 후배 직원을 신뢰하는 사람입니다. 당신은 이런 상사의 자격이 있습니다.

*회사 내에 존경하는 상사가 있는가?

*회사 내에 사랑스런 후배직원은 누구인가!

회사생활이 즐거운 이유

차이는 있어도 차별은 없는 조직문화

차별은 불평등의 의미로 시작하고, 차이는 평등에서부터 시작합니다. 회사 조직은 출신과 학력 그리고 문화가 다른 다양한 구성원들이 서로 협력하고 성과를 만드는 공동체입니다. 임파워먼트(Empowerment)를 통해 개인의 창의성이 존중받아야 할 기업환경에서 차별이란 기업 스스로 몰락의 길로 향하는 것입니다. 차이는 있어도 차별은 없는 조직문화, 성공하는 기업문화의 출발점입니다.

*차별이 없는 조직문화, 우리 조직은 어떤가?

*여러분이 누군가를 차별하고 있지는 않은가?

Simply, Easily & Completely!
2016년 7월 4일(월)~7월 10일(일)

차별(Discrimination)은
불평등의 의미로 시작하고,
차이(Difference)는
평등에서 부터 시작한다.

자동차 안전문화 캠페인

자동차는 산업의 발전과 함께 진화해 왔으며, 교통의 발전사에서 자동차는 신속성과 쾌적성 그리고 유연성 등 인류에게 질적인 편익을 도모해 왔습니다. 그러나 자동차는 핵무기와 함께 20세기가 만들어낸 최악의 실패작이란 말도 있습니다. 지구촌에서 매년 50만 명 이상이 교통사고로 사망한다는 이유 하나만으로도 자동차는 우리에게 편익만 주고 있는 것은 아닌 셈입니다.

한 통계자료에 의하면 사람이 평생 살아가며 한 번 정도는 교통사고를 당할 가능성이 매우 크다고 합니다. 편리하지만 위험한 자동차, 안전은 알고만 있는 것이 아니라 실천하는 것이 중요합니다.

*자동차 사고에 대한 경험이 있는가?

*여러분의 운전 습관은 어떤가?

Simply, Easily & Completely!
2018년 8월 20일(월)~8월 26일(일)

자동차 안전문화 캠페인

<에필로그>

6년간의 비즈니스 기록

2013년부터 시작된 주간 포스터는 공공기관과 민간기업을 중심으로 조직의 비전 달성과 구성원들의 사고전환 및 의식개선을 위하여 활용되고 있다.

조직은 그들이 설정한 사명(Mission)과 목표(Vision)를 달성하기 위하여 매년 사업계획을 수립하고 구성원들의 동기유발을 강조하고 있다. 이를 위하여 최고 경영자가 구성원에게 직접 목표를 설명하고 이해시키는 것이 가장 효과적일 수 있지만, 구성원에게 목표에 대한 강한 자신감과 의욕을 고취시키는 것이 어쩌면 더 중요할 수 있다고 생각한다.

"만약 당신이 배를 만들고 싶다면
사람들을 불러 모아 목재를 가져오게 하고
일을 지시하고 일감을 나눠주는 등의 일을 하지마라!
대신 그들에게 저 넓고 끝없는 바다에 대한 동경심을 키워줘라
-생텍쥐페리

사실 이포스터를 활용하여 사업을 하는 입장에서 그동안 만든 콘텐츠를 한꺼번에 책으로 만들어 공개한다는 것이 그간 투자된 비용과 앞으로의 사업에 큰 리스크가 될 수 있다는 속 좁은 생각에 차일피일 시간을 미루고 있었다.

그러나 이런 생각을 바꾸게 해주신 분이 맥아더스쿨 정은상 교장 선생님이다.

"시작이 반이고 나머지는 의심을 버려라."
-맥아더스쿨 정은상

출판을 결심하고 실행하는 과정은 그리 길지 않았다. 본격적인 출판을 위하여 '새로운사람들' 이재욱 사장님을 만났다. 6년간의 기록을 보신 이재욱 사장님께서는 "콘텐츠는 충분하니 분류만 잘하면 독자들에게 좋은 감동을 줄 수 있겠다."는 말씀에 더욱 자신감을 얻게 되었다.

이재욱 사장님은 그동안 600권 이상의 책을 출판한 출판사 대표님으로 출판사보다는 독자의 입장에서 출판을 기획하시는 분이다.

이번에 출판하는 책은 출판에 대한 의미보다는 6년간의 비즈니스 기록을 독자들에게 공개하는 것이다.

처음에는 자신 있는 내용을 한 권으로 묶어 소개하는 것으로 계획되었으나 어디 하나 의미를 부여하지 않을 것이 있겠냐는 출판사 의견에 따라 두 권으로 구분하여 출판하게 되었다.

그러다 보니 이미지를 제작한 작가님들을 소개하지 않을 수 없다. 먼저 표지 제작과 함께 오랜 기간 동안 주간 포스터 제작에 참여해주신 김기권 작가님 그리고 이포스터 사업을 시작하며 열정과 희망의 문을 열어주신 박정근 작가님 그 밖에도 윤삼보 작가님, 최성진 작가님, 정진하 작가님, 강화경 작가님, 허주경 작가님, 유해리 작가님, 장수정 작가님, 김지현 작가님, 이소명 작가님, 허주경 작가님 등 이분들이 없었다면 이 책이 나오지 못했을 것이다.

그리고 새로운 카피개발과 비즈니스 전반을 함께하는 전평근 위원님, 고정환 위원님, 최후림 위원님, 김연진 실장님께도 감사드린다.

마지막으로 이포스터 사업에 실무를 담당하며 고객과의 상담과 작가님과의 협의 그리고 인쇄와 납품을 담당하는 KPMC 고명희 실장님께 감사한다.

"항상 같은 방향으로 돛을 올리는 사공은
결코 목적지에 도달할 수 없다."

이포스터는 시즌2를 시작하는 새로운 발돋움을 시작하였다.

그동안 개발된 포스터는 이미지를 기반으로 운영되었다면 새로운 시즌2에서는 영상과 VR이 접목된 새로운 길을 준비할 것이다. 이를 위하여 필요한 것은 새로운 아이디어와 신기술 보다는 강한 자신감과 실행력이라 생각한다.

"무언가 하고 싶은 사람은 방법을 찾고,
아무것도 하기 싫은 사람은 구실을 찾는다."
-인도속담